Im Fire
thank U

勇者系列
BRAVE SERIES

第三集　墮落狂魔與炎魔

YELLOW BOOK

前／言／

您好，我是本書作者黃色書刊。
首先要感謝手上拿著這本
《勇者系列／第三集．墮落狂魔與炎魔》的讀者，
你們的支持，對我來說是莫大的動力與鼓勵。

愛好和平的炎魔，在故事中開始遇到了一些挫折，
墮落狂魔也在這個篇章中登場，
這兩個角色會帶給這個世界怎樣的影響呢？

「影響」一直都是這個故事中很重要的一環。

角色影響世界，世界影響角色，
大家都在不知不覺中被其他人事物影響，
也因為那些影響，每個角色才會做出屬於自己的選擇，
而每一個選擇，又會帶給其他人不同的影響，
炎魔是如此，墮落狂魔也是。

故事來到了第三集，我內心真是充滿了感恩，
能讓這個故事好好地進行下去真是太好了！
再次感謝拿著這本書的您，
謝謝！

目錄

特別收錄

第六章
炎魔離開了

聽說炎魔大人要放長假啦！終於不用再聽他的命令啦！
你說得沒錯。
真是遺憾……
他不過就是個對人類仁慈、對自己人殘忍的混帳東西啦！
炎魔三魔將
鳳凰炸雞
炎魔三魔將
火焰熱狗
你說得沒錯。
但是我覺得炎魔大人有他的考量在啊，他絕對不會做錯的！
炎魔三魔將
熔岩起司
因為你是他的粉絲才會講這種屁話啦！
這三位就是魔族四天王炎魔底下的三位魔將，個個都身懷絕技。
但是在炎魔的管理下，他們都沒有辦法殺害人類，於是被人類戲稱為「美味分享餐」。

今天很感謝各位四天王與十二位魔將到場。
首先要恭喜戰鬼，這個月在他的領地內總共死了四十位勇者。
賢者依然替我們賺了許多錢，水妖的周邊商品也很熱賣，然而，炎魔的表現……
你不但沒殺掉半個勇者，連周邊商品也賣不好，對魔族來說，你還有什麼貢獻？
當魔族的壞榜樣。
FIRE
I'm Fire

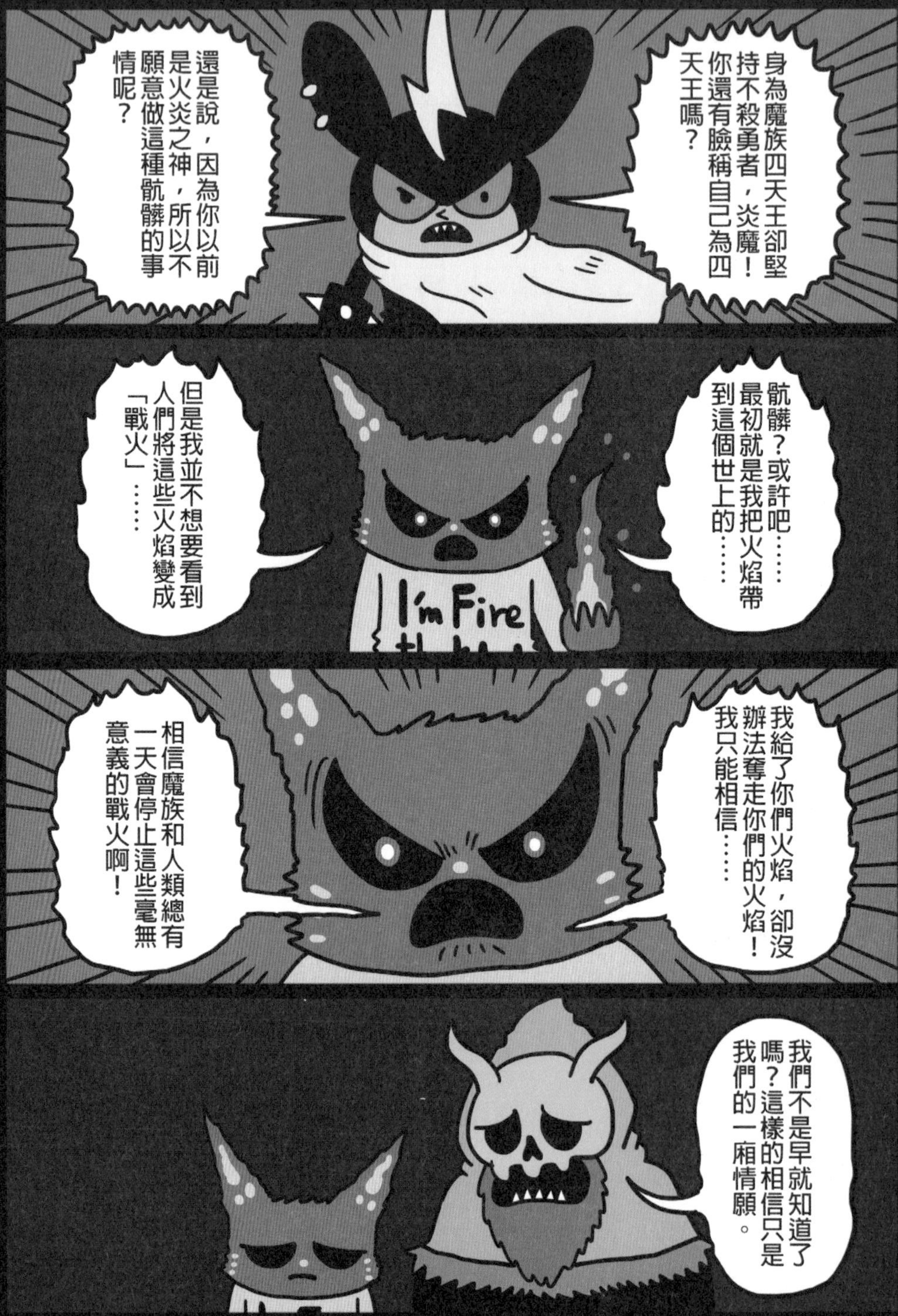
身為魔族四天王卻堅持不殺勇者，炎魔！你還有臉稱自己為四天王嗎？
還是說，因為你以前是火炎之神，所以不願意做這種骯髒的事情呢？
骯髒？或許吧……最初就是我把火焰帶到這個世上的……
但是我並不想要看到人們將這些火焰變成「戰火」……
I'm Fire
我給了你們火焰，卻沒辦法奪走你們的火焰！我只能相信……
相信魔族和人類總有一天會停止這些毫無意義的戰火啊！
我們不是早就知道了嗎？這樣的相信只是我們的一廂情願。

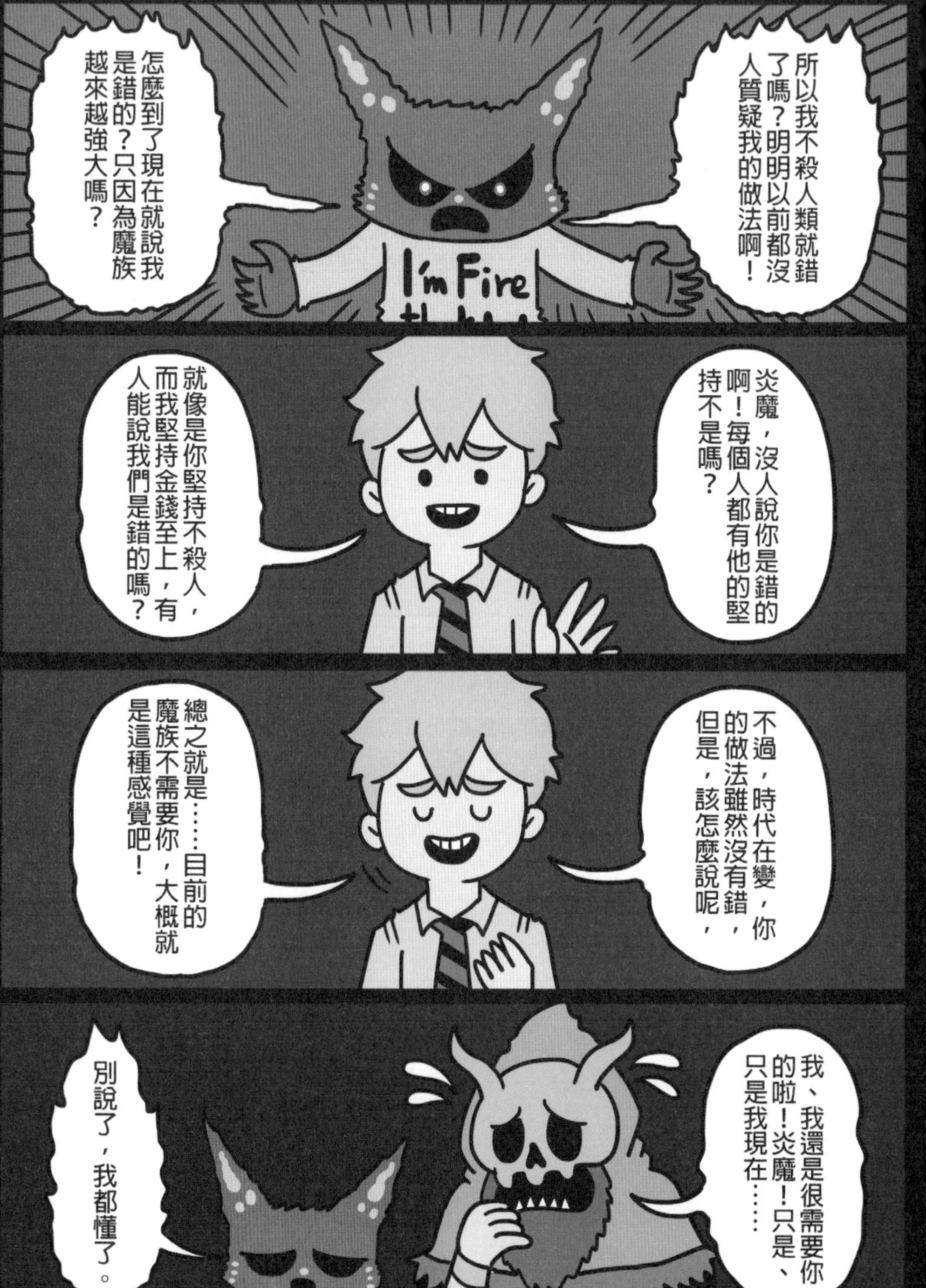
所以我不殺人類就錯了嗎？明明以前都沒人質疑我的做法啊！
怎麼到了現在就說我是錯的？只因為魔族越來越強大嗎？
I'm Fire
炎魔，沒人說你是錯的啊！每個人都有他的堅持不是嗎？
就像是你堅持不殺人，而我堅持金錢至上，有人能說我們是錯的嗎？
不過，時代在變，你的做法雖然沒有錯，但是，該怎麼說呢，
總之就是……目前的魔族不需要你，大概就是這種感覺吧！
我、我還是很需要你的啦！炎魔！只是、只是我現在……
別說了，我都懂了。

嘿，炎魔，雖然我和你水火不容，但我還是很替你感到不捨。
……謝了，水妖。
自從賢者加入魔族，魔族的運作方式都跟以往不同了。
你看，我還要賣那什麼周邊商品，但是，魔族也確實是越來越強大了……
我知道，魔族的確越來越強大了，強大到不需要我……
或許我比較適合待在以前的魔族吧。
唉，趁現在讓自己放個假也不錯啦。
水妖，妳可別成為不被魔族需要的人喔！

炎魔離開魔族四天王的職位後，將自己的外型變成一隻魔獸。
I'm Fire thank U
他想以這樣的姿態去看看他曾經的領土。
嘿，老兄，你的家園怎麼如此殘破不堪？
唉，小傢伙，都是因為炎魔大人對人類太仁慈了啊。
人類勇者仗著炎魔大人不會殺他們，越來越得寸進尺了。倒不是說炎魔大人哪裡做錯，
追求和平很棒啊，但是，身為魔族，我們還是希望炎魔大人能多少替我們著想一點呢……

糟糕！是滅火勇者！他今天又來這裡了！
？
因不斷侵略炎魔領地而出名的可怕勇者！
我記得他曾經被我放了一馬……
請您饒過我吧！
我以後不會再來了！
看來這又是我的錯了啊……

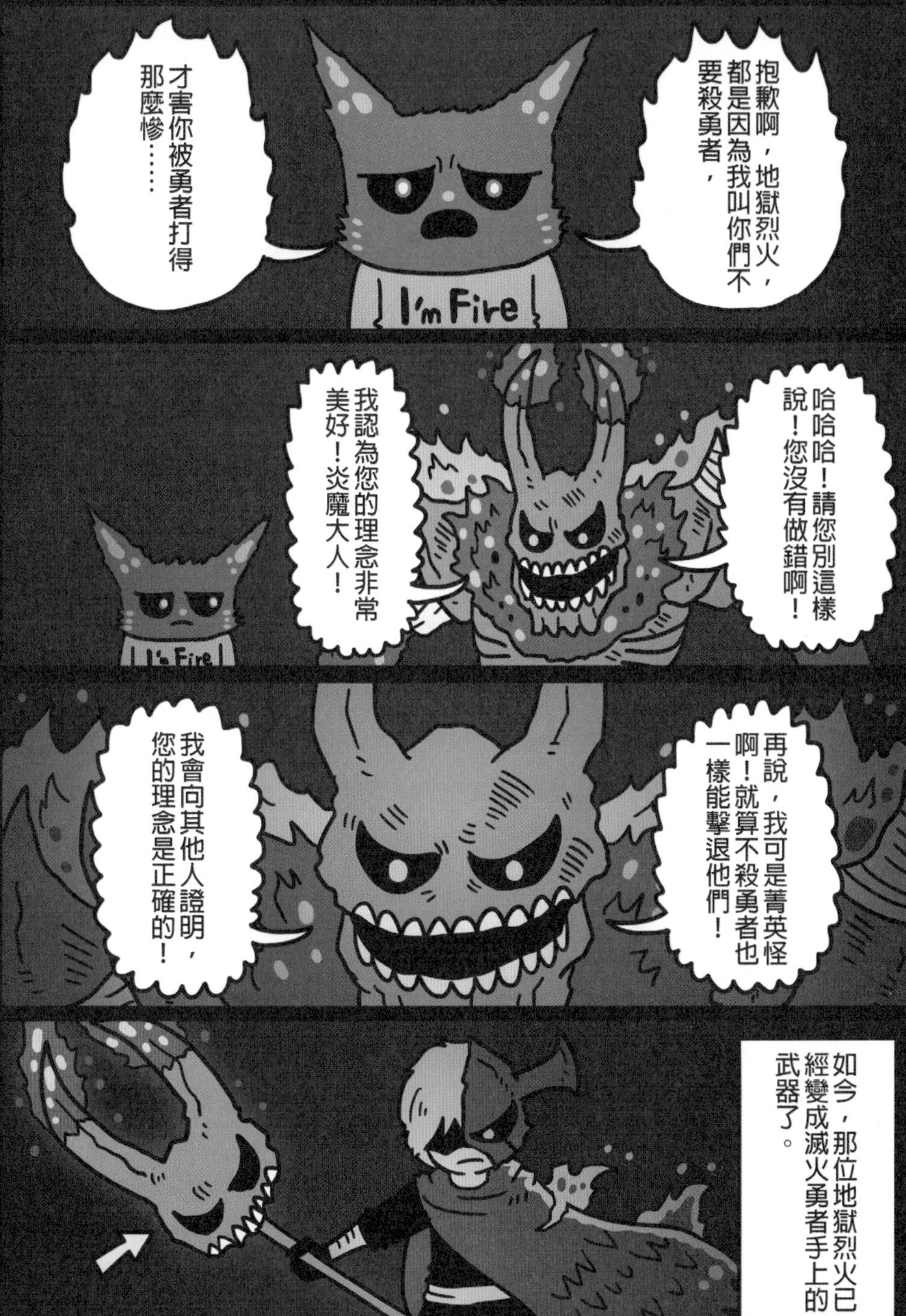
抱歉啊，地獄烈火，都是因為我叫你們不要殺勇者，
才害你被勇者打得那麼慘……
I'm Fire
哈哈哈！請您別這樣說！您沒有做錯啊！
我認為您的理念非常美好！炎魔大人！
I'm Fire
再說，我可是菁英怪啊！就算不殺勇者也一樣能擊退他們！
我會向其他人證明，您的理念是正確的！
如今，那位地獄烈火已經變成滅火勇者手上的武器了。

炎魔大人，說真的，堅持不殺勇者這點，實在是個錯誤啊！
爆炎蜥蜴，為什麼你會這樣說呢？
I'm Fire
人類才不會把您這樣的行為當作是一種仁慈！
他們只會覺得：「哇！這裡是個不會送命的練功打寶聖地啊！」
唉，抱怨歸抱怨，我還是會聽從您的命令啦！炎魔大人。
謝謝你啦！
I'm Fire
如今，那位爆炎蜥蜴已經變成滅火勇者身上的披風了。

炎魔大人，在下灼燒巫師誠懇的拜託您！讓我們殺勇者吧！
再這樣不反擊下去，我的同伴都要被勇者殺光了啊！
請您別再堅持不殺勇者了！請您為了您的部下想一想吧！
對敵人仁慈，就是對自己人殘忍啊！拜託您讓我們殺勇者吧！
不行。
I'm Fire
如今，那位灼燒巫師已經變成滅火勇者頭上的頭盔了。

LV UP!!
啊……又有魔族因為我的理想而死了。
堅持不殺勇者的下場，就是讓自己人一個接著一個去送命嗎……
但我還是沒辦法對眼前這個勇者下手，對他下手，就等於否定了自己的理想，
即使這個理想造成現在這樣錯誤的局面，但是理想本身仍然是沒有錯的……
嘿！小傢伙！你怎麼一個人在這裡？要不要跟我一起走啊？
嗯。

好了，也差不多要回去了，再待下去或許會有危險。
聽說炎魔的領地換其他魔族管理了。
話說，你為什麼會想要當勇者呢？
咦？因為我只會當勇者吧。而且，我今年就要滿三十歲了，
大家不是都說三十而立嗎？我至少也要有一些成就，才能對自己的人生有個交待啊！
在當勇者之前，我就只是個靠家裡養的米蟲，說實話，我真的很對不起我母親啊！
儘管我現在仍然買不起房子，但我至少能夠照顧好自己的家人了。
真不好意思耶！並不是什麼了不起的理由！
嗯啊……

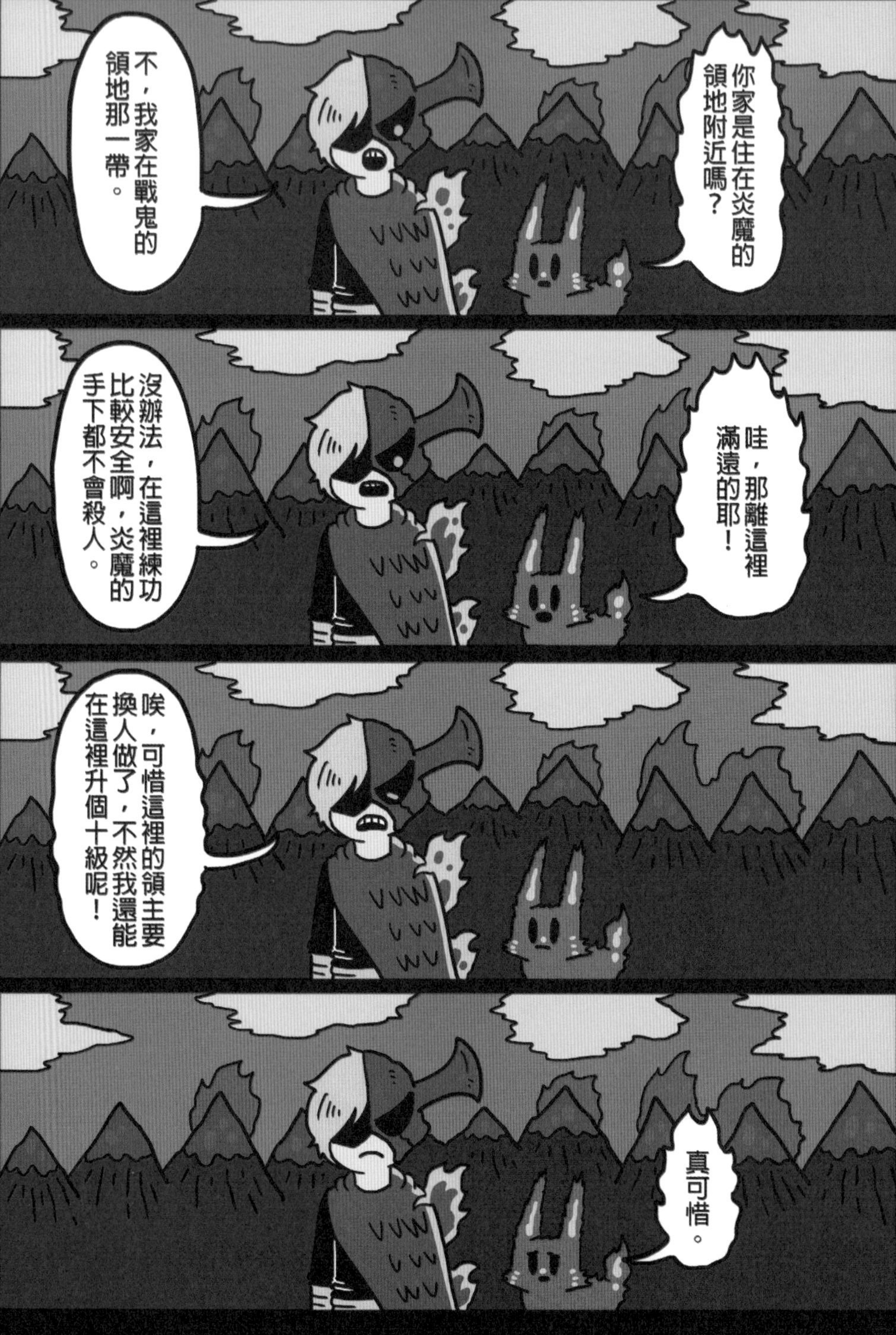
你家是住在炎魔的領地附近嗎？
不，我家在戰鬼的領地那一帶。
哇，那離這裡滿遠的耶！
沒辦法，在這裡練功比較安全啊，炎魔的手下都不會殺人。
唉，可惜這裡的領主要換人做了，不然我還能在這裡升個十級呢！
真可惜。

說真的，炎魔的手下還真可憐，都沒辦法動手殺勇者。
要是在勇者這裡有這種長官，早就被大家給踢下台了！
是啊，虧魔族能夠包容炎魔那麼久。
炎魔真是個最差勁的四天王。
他還期望能看到什麼世界和平，真可笑。
如果他從這個世界上消失的話，世界或許就會和平了吧……
要是世界和平的話，勇者就沒飯吃啦！

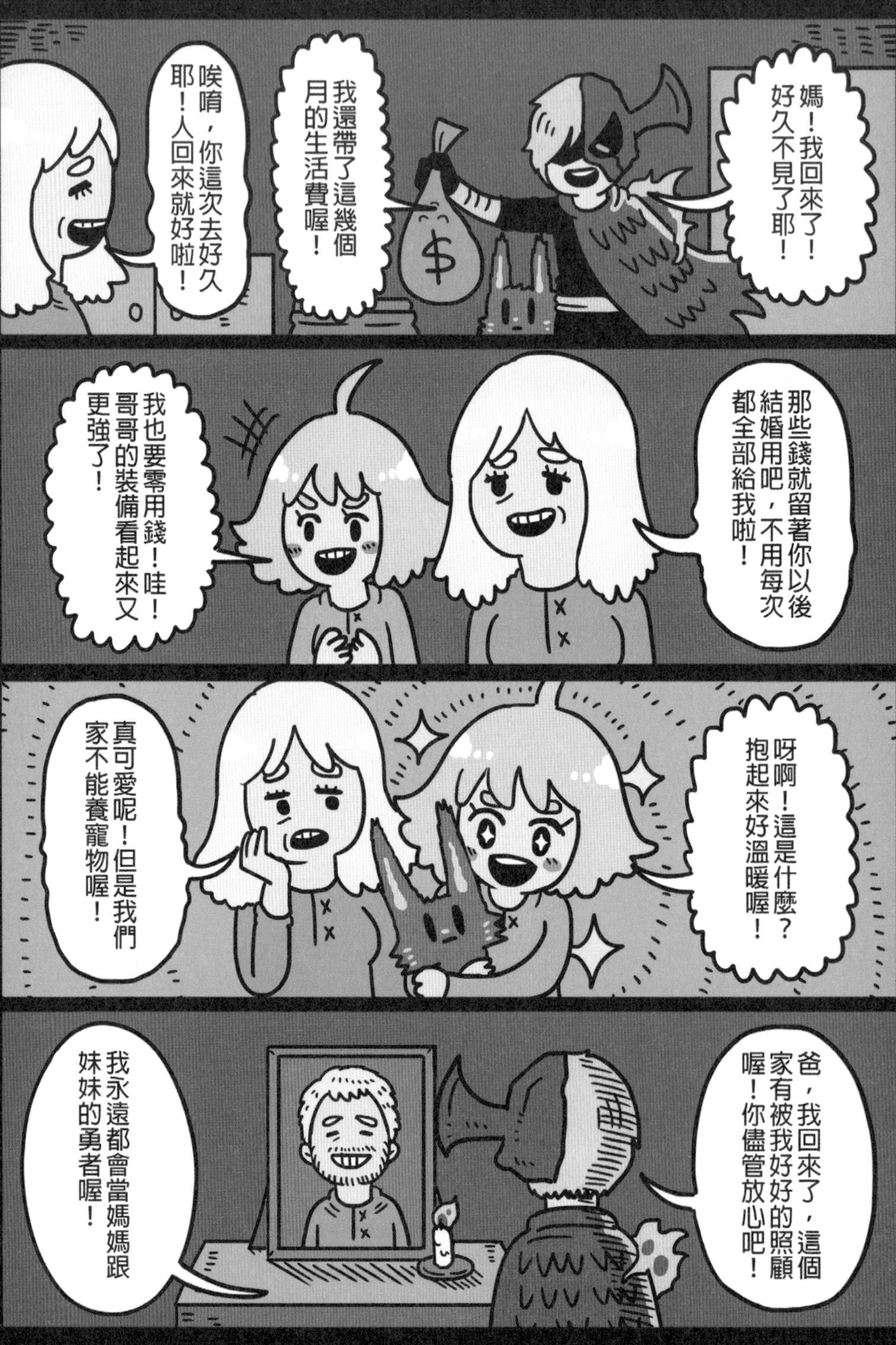
媽！我回來了！好久不見了耶！
我還帶了這幾個月的生活費喔！
唉唷，你這次去好久耶！人回來就好啦！
那些錢就留著你以後結婚用吧，不用每次都全部給我啦！
我也要零用錢！哇！哥哥的裝備看起來又更強了！
呀啊！這是什麼？抱起來好溫暖喔！
真可愛呢！但是我們家不能養寵物喔！
爸，我回來了，這個家有被我好好的照顧喔！你儘管放心吧！
我永遠都會當媽媽跟妹妹的勇者喔！

你父親過世了啊？
你會說話？
是啊！
三年前被戰鬼給殺掉了。
你父親是個勇者嗎？
你會說話喔！
不是，
他就只是個村民。
那他還真無辜，你很恨魔族吧？
你怎麼會說話啦！
也不能這樣說。
這世上沒有誰是真正無辜的。
只要活著，就必定會以某種形式去傷害某個生命。
我從來沒有恨過魔族，我只是想要靠著殺魔族來養活家人罷了。

既然戰鬼領地附近這麼危險，你們怎麼不搬去安全一點的地方住呢？
哈哈，安全一點的地方？你是說首都嗎？
拜託，那邊的房價高得嚇死人啦！
就算我已經是勇者了，就算我這麼拚命賺錢，
我還是付不出那邊房子的頭期款啊……
這都是因為地皮勇者在那邊炒房價……
不過我自己也是加入地皮勇者的派系就是了，唉，沒辦法啊！
在成為像地皮勇者那樣能夠影響世界情勢的大人物之前，
像我這樣的勇者，也只能任他們擺布啊！

炎魔從魔族四天王的位子退下後，
「墮落狂魔」接手了他的位子。
DOR LOR
墮落狂魔在很久以前也擔任過魔族四天王，當時的他被人們稱為「狂魔」。
他非常狂暴、嗜血，是個令人聞風喪膽的可怕魔族。
但是，他後來沉迷於映像水晶，整天都坐在沙發上吃零食看影片。
學長！其實我對你一直都……
他越來越墮落，最後還辭掉了工作，於是人們後來就戲稱他為「墮落狂魔」。
如今，他已經沒有錢可以過著那樣糜爛的生活，所以他決定要重返四天王的寶座。
他要努力工作，並且要把接下來幾百年份的生活費給賺起來，加油吧！墮落狂魔！
DOR L

墮落狂魔上任後，馬上就灌輸部下一些新的觀念。
我說啊，
我可不是你們之前那位「善良」的炎魔大人。
人類全部都是敵人！既然是敵人就應該要全部殺光才對！
給敵人留活路就等於是給自己人斷後路！你們都給我記住了！
終於……終於可以殺那些勇者了啊！
你說得沒錯。
唉……
從此，原本看似地獄卻不是地獄的炎魔領地，
變成了貨真價實的地獄——「墮落狂魔的領地」。

哈哈！就算換了領主又怎樣？就算會殺勇者又怎樣？
沒錯！廢物炎魔的手下一定也是廢物！有什麼好怕的？
哇啊啊啊！
哇啊啊啊！
就算炎魔大人再怎麼無能也不准侮辱他！
你們這些勇者才是廢物！
哇啊啊啊！
哇啊啊啊！
你說得沒錯！
哇啊啊啊！

因為有越來越多勇者在這裡陣亡，
所以，逐漸沒有勇者想來攻略墮落狂魔的領地。
墮落狂魔大人，這幾天都沒有勇者來這裡耶！
啊？這可不妙，這樣我就沒有業績了！
DOR LOR
好吧，那我們就主動去攻擊人類的村莊吧！
反正人類也都是那樣對待我們的，不是嗎？
因為越來越多勇者不去攻略墮落狂魔的領地，
嗚哇啊啊！
DOR LOR
所以，墮落狂魔就只好自己來攻略人類的領地。

墮落狂魔不斷帶領魔族的軍隊去攻打人類的村莊。
DOR LOR
FIRE
H
無論男女老少，只要對方是人類就格殺勿論。
才短短幾個月，墮落狂魔就成了人類眼中的噩夢。
墮落狂魔毀掉了許多人類的村莊，並且占領為自己的地盤。
墮落狂魔就這樣成了魔族之中領土最大的四天王。
然而，墮落狂魔會在忙碌的工作後，舒服的看著映像水晶，吃著他最喜歡的零食。
我的認真～唷～都是為了耍廢～
既認真工作，又懂得享受生活，墮落狂魔是魔族的最佳典範。

我問你，為什麼來這裡的勇者都那麼弱啊？
DOR LOR
墮落狂魔大人，可能是因為炎魔大人以前都不殺勇者的關係吧。
因此那些「怪物級」的勇者好像都沒有把我們放在眼裡，
所以來這邊的盡是一些三流的勇者……
原來如此啊！難怪那些勇者全部都像是廢物！
好！看來我得更努力一點，才能吸引那些「怪物」的注意呢！
我要把那些厲害的勇者全都引出來！
DOR LOR
然後將他們殺光！換取更多的業績！

院長，勇者公會請您去「關注」墮落狂魔的領地。
墮落狂魔？那邊以前是炎魔的領地嘛！
絕望勇者
（最強的魔法師）
（魔法學院院長）
話說，學院已經很久都沒有對炎魔的領地出手了呢。
畢竟炎魔曾經饒過我的愛徒一條命嘛！
從那時候起，我就禁止學員去攻略炎魔領地！
哎呀，但是在墮落狂魔上任以後，那邊的風氣就不一樣了呢！
看來那些「怪物級」的勇者都開始要有一些動作囉……
不過我自己也是個怪物啦！
是啊！院長您是個貨真價實的怪物呢！

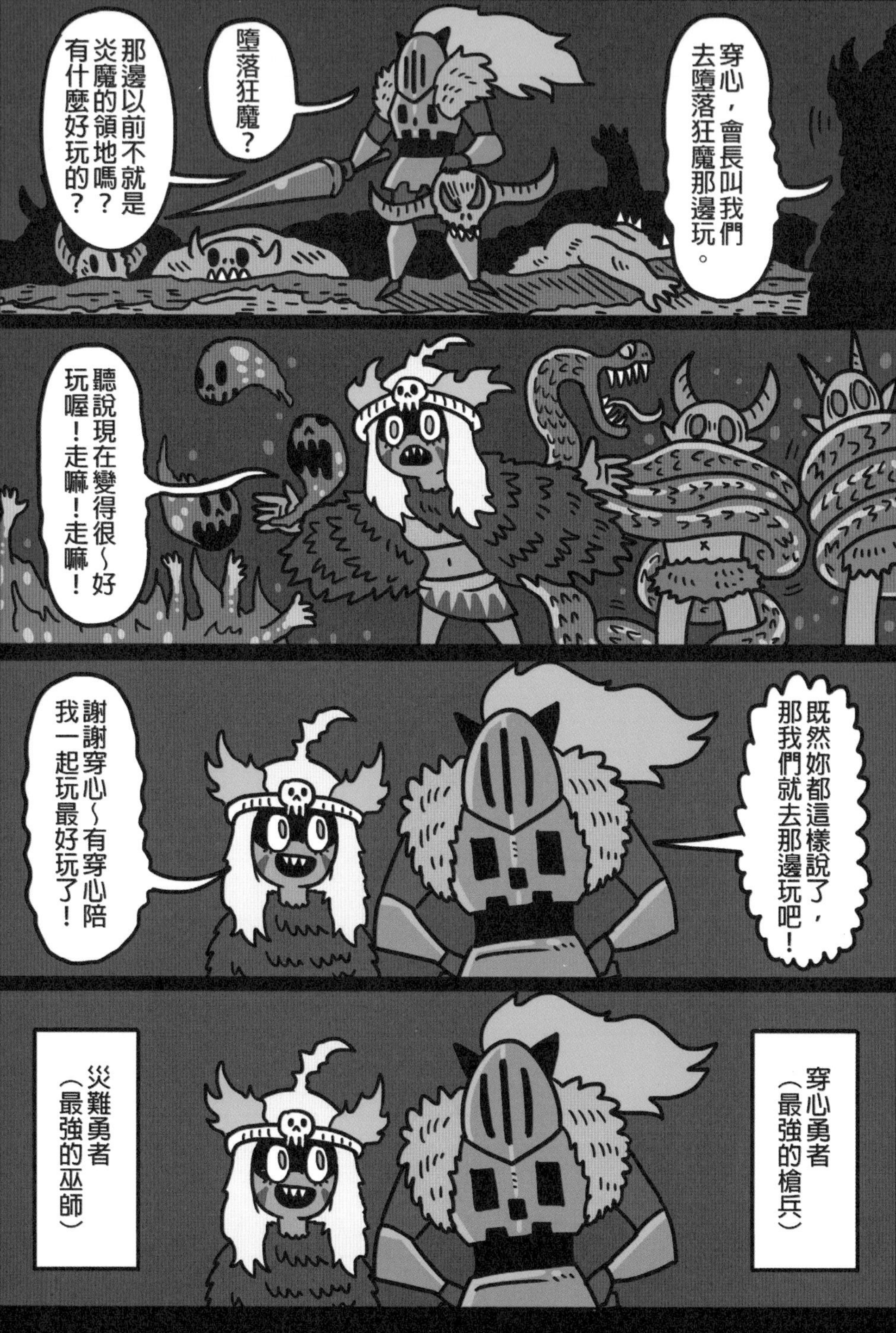
穿心，會長叫我們去墮落狂魔那邊玩。
墮落狂魔？
那邊以前不就是炎魔的領地嗎？有什麼好玩的？
聽說現在變得很～好玩喔！走嘛！走嘛！
既然妳都這樣說了，那我們就去那邊玩吧！
謝謝穿心～有穿心陪我一起玩最好玩了！
穿心勇者（最強的槍兵）
災難勇者（最強的巫師）

由您帶領我們真是正確的決定，之前讓炎魔帶領真是個錯誤，您也這樣認為吧？
錯誤？炎魔有說過自己做錯了嗎？
是沒有……
既然這樣，那我就不能說他是錯的。
除非他認錯，我才會認為他是錯的。
我也從來沒說過自己是正確的，我只是在做我想做的事！
不要急著去否定自己曾經追隨的領主啊！
要相信那個曾經相信炎魔的自己啊！

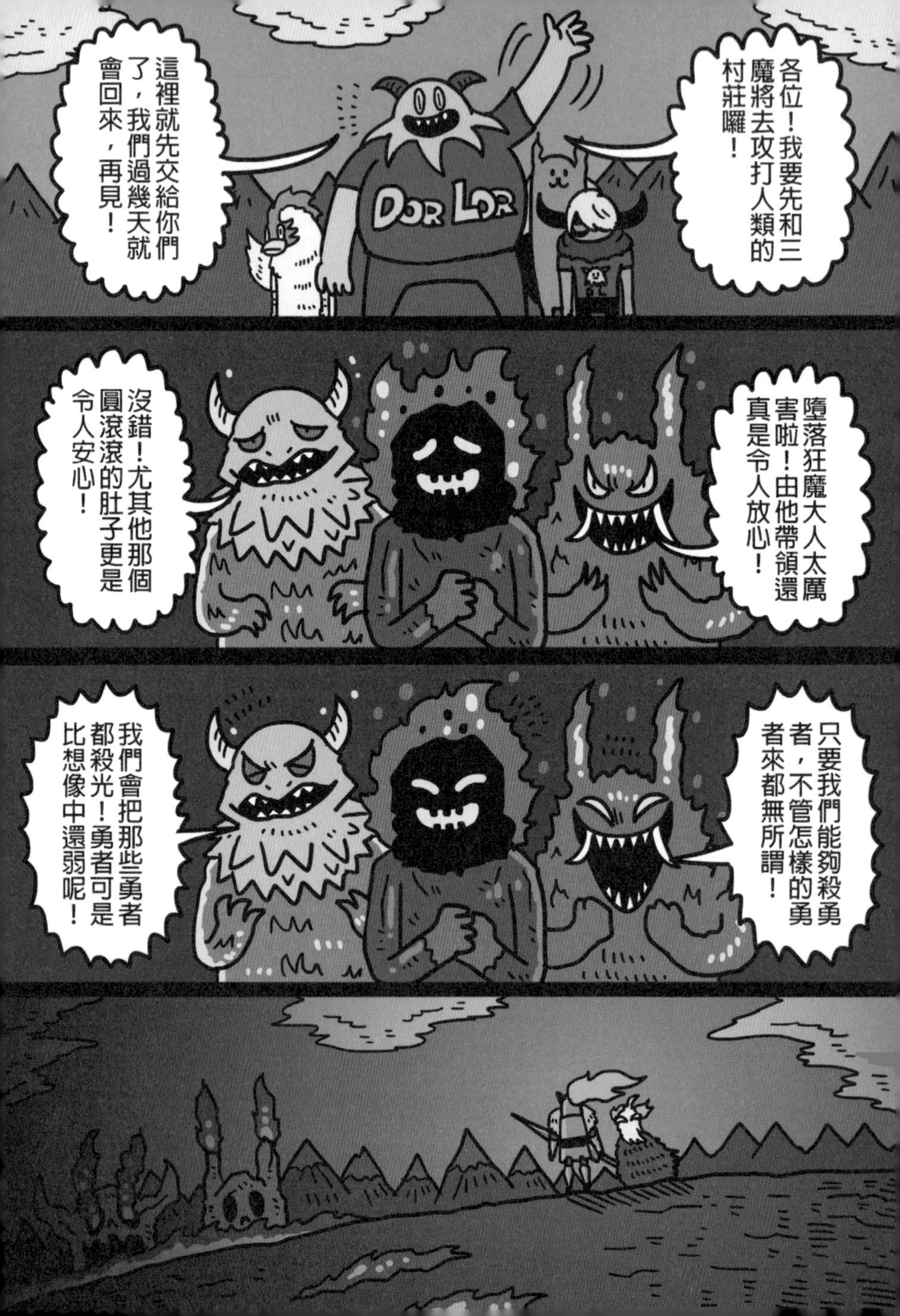
各位！我要先和三魔將去攻打人類的村莊囉！
這裡就先交給你們了，我們過幾天就會回來，再見！
DOR LOR
墮落狂魔大人太厲害啦！由他帶領還真是令人放心！
沒錯！尤其他那個圓滾滾的肚子更是令人安心！
只要我們能夠殺勇者，不管怎樣的勇者來都無所謂！
我們會把那些勇者都殺光！勇者可是比想像中還弱呢！

哎呀，是外來者！歡迎來到這裡啊！
兩位看起來就像是從戰鬼領地過來的呢！
沒錯，真虧你們看得出來呢！
因為兩位看起來很強悍啊！聽說那邊的勇者都很可怕，是真的嗎？
其實我們兩個是最強的槍兵跟最強……
原來妳們是戰鬼的魔將啊！我聽說戰鬼的魔將都非常厲害啊！
喂！戰鬼的魔將來我們這邊啦！快點準備大餐招待她們！
準備最好的旅館給她們住吧！她們可是魔族的英雄啊！

火山老爺！戰鬼的魔將來到我們的村莊作客啦！
戰鬼的魔將？他們來這裡做什麼？
!!
什麼魔將！她們是穿心勇者和災難勇者啊！混帳！這裡的魔族都是井底之蛙嗎？
火山老爺！我們要辦宴會來迎接她們！
好、好，一定要好好招待她們才行！

我的名字叫作火山，我被村莊裡的魔族們稱為「火山老爺」。
村裡的魔族都很信任我，我也很喜歡這個和平的小村莊。
我年輕時都在病魔的領地中打拚，當年的我也是一條好漢。
在那邊，我親眼見識過各式各樣的怪物級勇者。
F
然而，炎魔的領地幾乎沒有怪物級的勇者會來侵略，
所以這裡的魔族根本不知道眼前這兩位勇者有多麼可怕。
在變成墮落狂魔的領地後，就連這座小村莊都被盯上了嗎？
這些可愛又善良的魔族可是我的寶物啊！我一定會保護你們！

你們都沒有去記每一個魔將的長相嗎？
真是超～災難的！
是啊！我們只記得自己領地的三魔將！
畢竟其他領地的魔將跟我們也沒關係嘛！
但是我們兩個可是精靈和人類喔！
想不到戰鬼的魔將是精靈和人類啊！感覺好酷喔！
魔族四天王的其中一位也是人類呢！

對了，魔將大人，我們該怎麼稱呼妳們兩位呢？
想必妳們一定有著很響亮的稱號吧！
我叫作穿心「勇者」。
我是災難「勇者」喔！
哎呀呀！兩位大人可真愛開玩笑呢！妳們怎麼會叫作勇者呢？
算了，來享用我們替兩位準備的大餐吧！
火山老爺啊啊！
你們就是我們的大餐啊，魔族。

火山老爺啊啊！
我還活著……
我很抱歉，沒告訴你們，她們兩位其實是人類的勇者……
火山老爺根本不用抱歉啊！這根本就不是你的錯啊！
我錯了！
因為我自認為我們絕對打不過她們！
但是，這裡是我們的地盤！周圍都是我們的同伴！
我不該感到害怕！我們應該要鼓起勇氣去對抗她們！
喔喔喔喔！你說得沒錯！火山老爺！
我們要保護好自己的地盤啊！

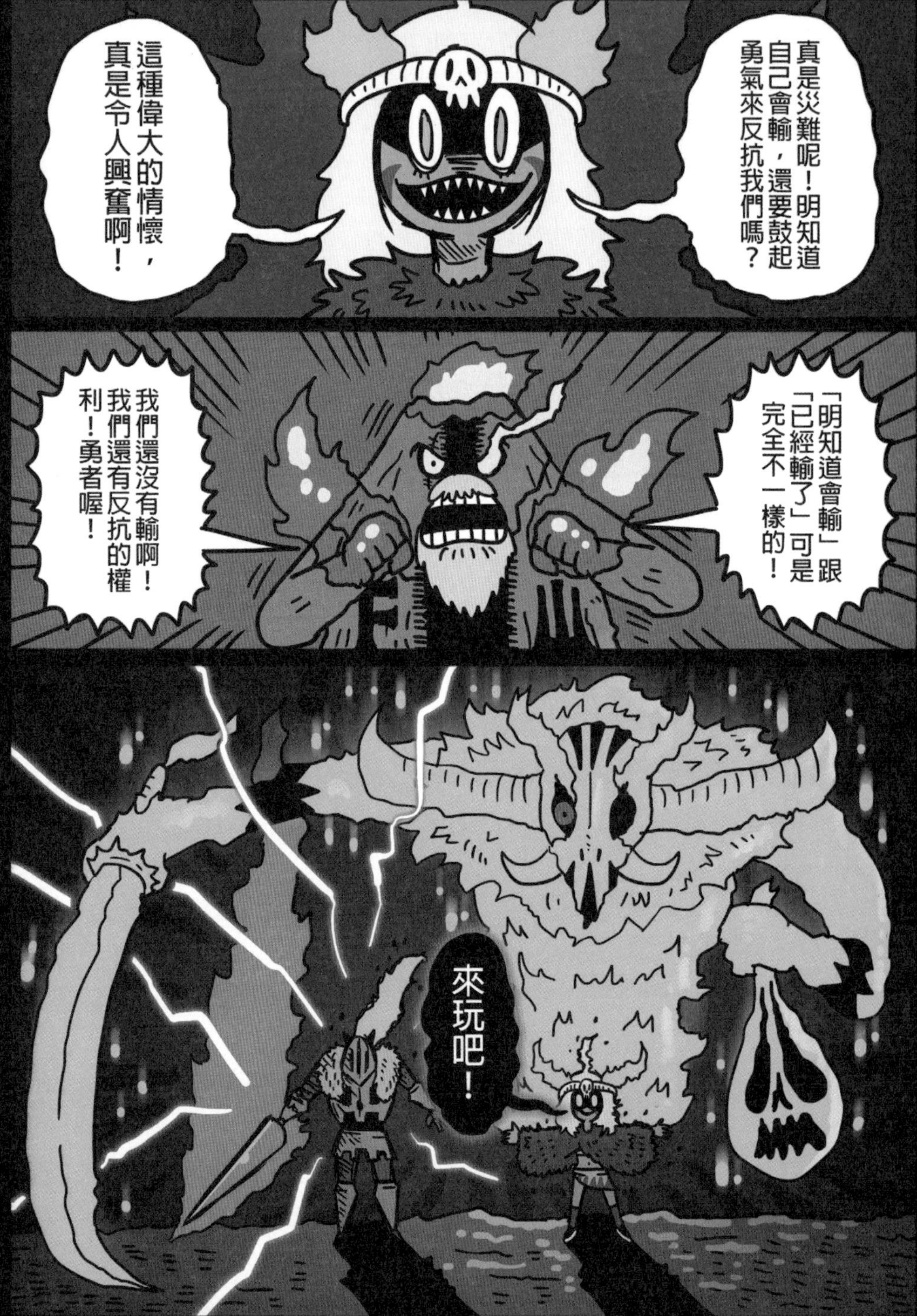
真是災難呢！明知道自己會輸，還要鼓起勇氣來反抗我們嗎？
這種偉大的情懷，真是令人興奮啊！
「明知道會輸」跟「已經輸了」可是完全不一樣的！
我們還沒有輸啊！我們還有反抗的權利！勇者喔！
來玩吧！

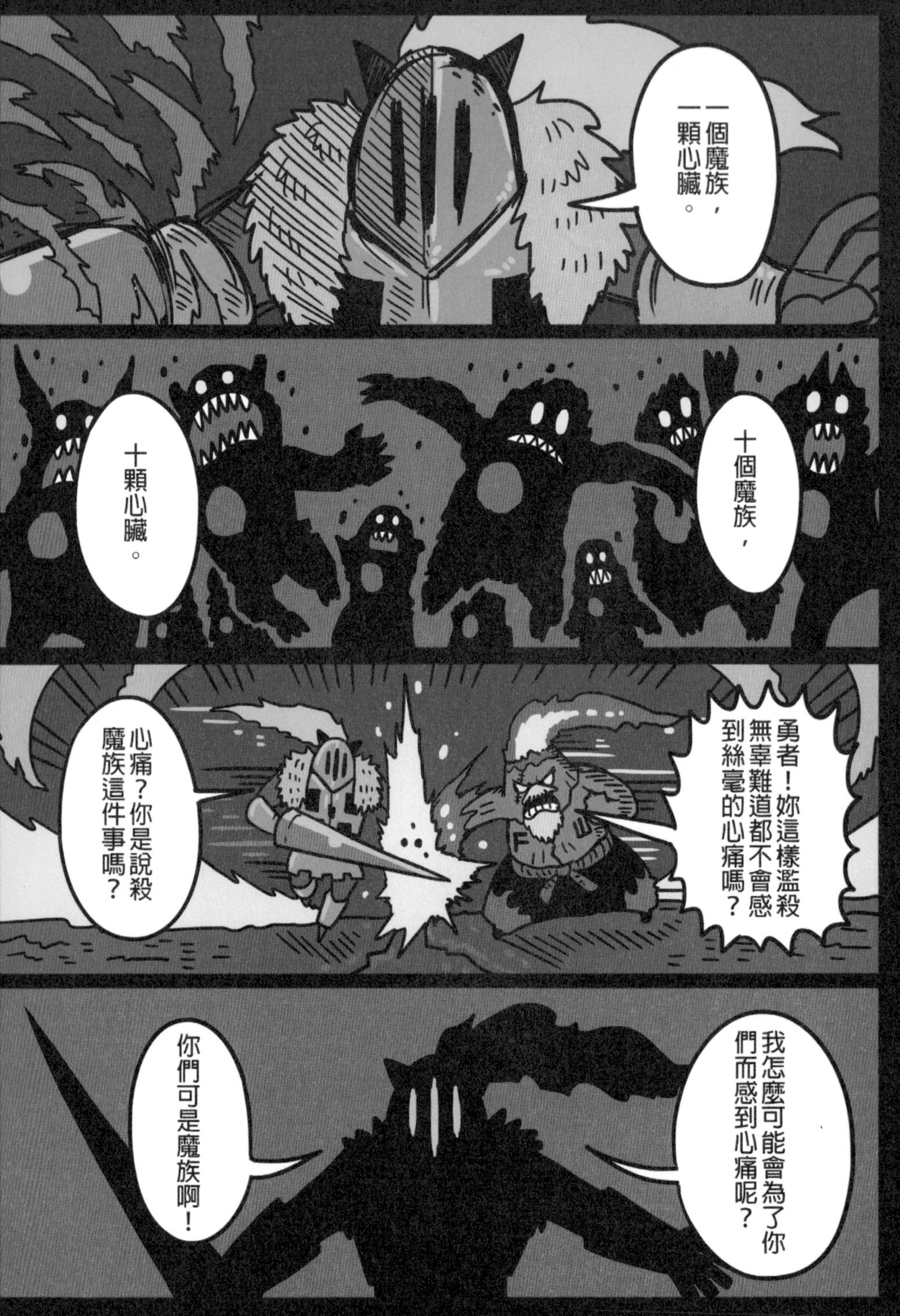
一個魔族，一顆心臟。
十個魔族，
十顆心臟。
勇者！妳這樣濫殺無辜難道都不會感到絲毫的心痛嗎？
心痛？你是說殺魔族這件事嗎？
我怎麼可能會為了你們而感到心痛呢？
你們可是魔族啊！

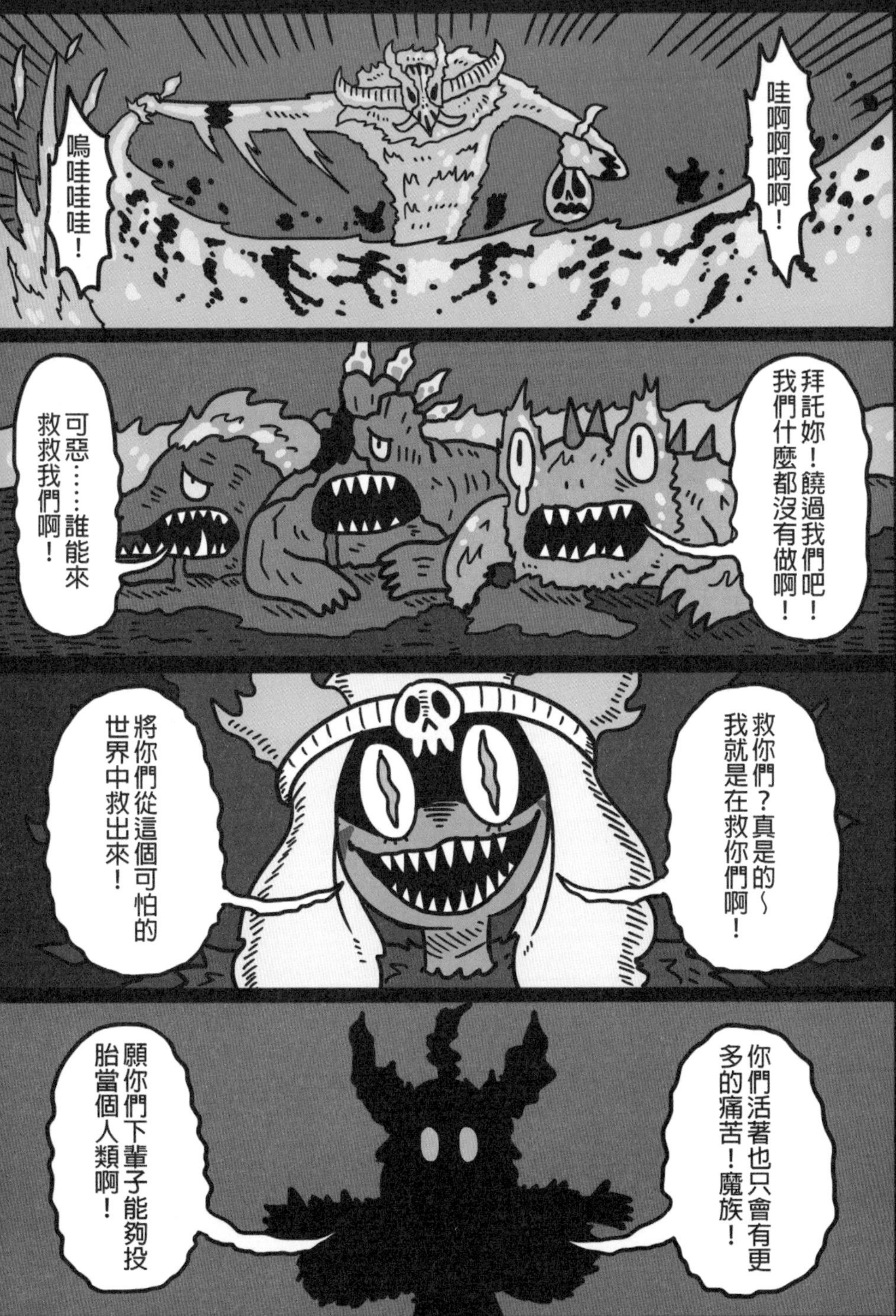
哇啊啊啊啊！
嗚哇哇哇！
拜託妳！饒過我們吧！我們什麼都沒有做啊！
可惡……誰能來救救我們啊！
救你們？真是的～我就是在救你們啊！
將你們從這個可怕的世界中救出來！
你們活著也只會有更多的痛苦！魔族！
願你們下輩子能夠投胎當個人類啊！

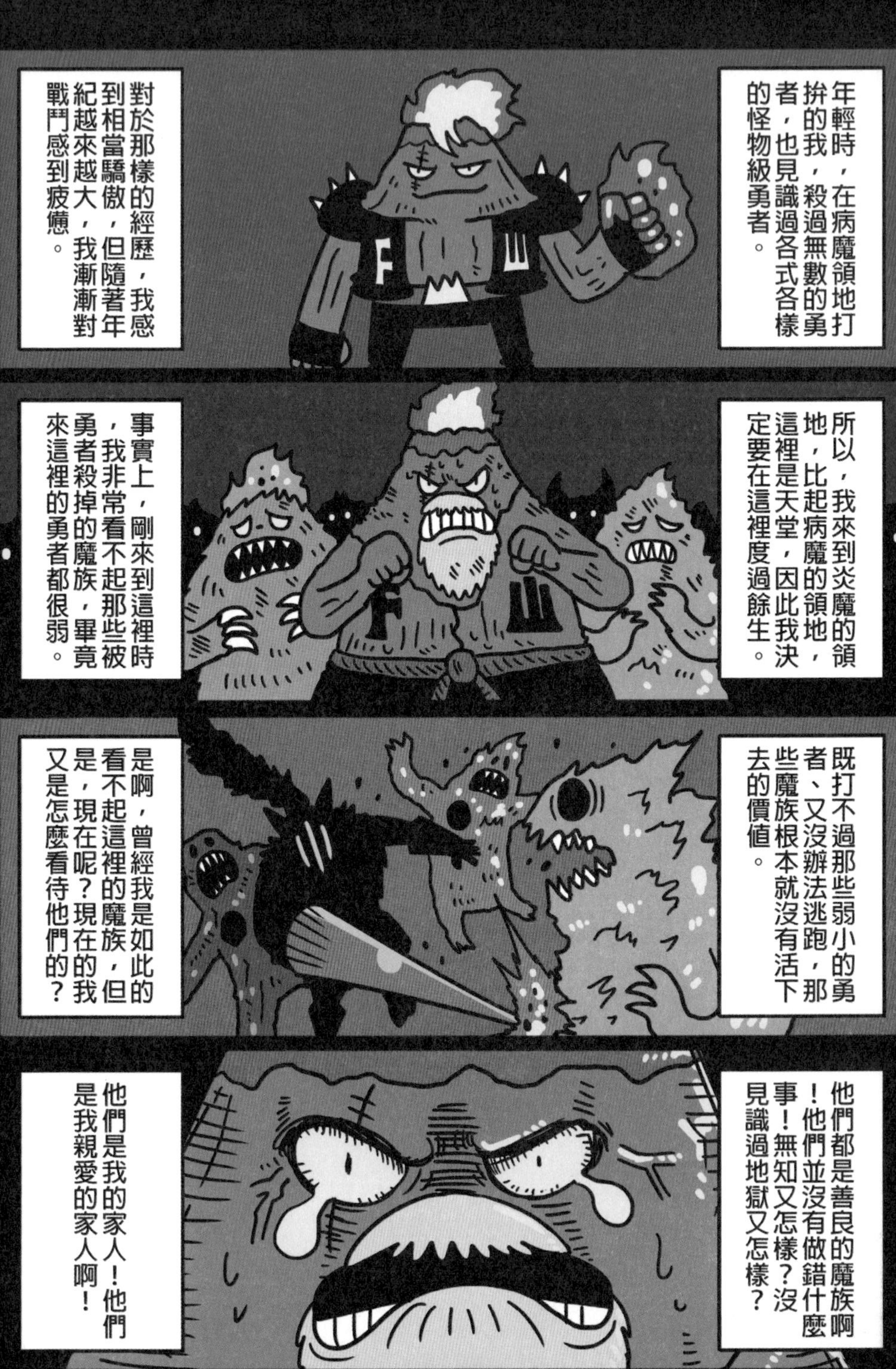
年輕時，在病魔領地打拚的我，殺過無數的勇者，也見識過各式各樣的怪物級勇者。
對於那樣的經歷，我感到相當驕傲，但隨著年紀越來越大，我漸漸對戰鬥感到疲憊。
所以，我來到炎魔的領地，比起病魔的領地，這裡是天堂，因此我決定要在這裡度過餘生。
事實上，剛來到這裡時，我非常看不起那些被勇者殺掉的魔族，畢竟來這裡的勇者都很弱。
既打不過那些弱小的勇者、又沒辦法逃跑，那些魔族根本就沒有活下去的價值。
是啊，曾經我是如此的看不起這裡的魔族，但是，現在呢？現在的我又是怎麼看待他們的？
他們都是善良的魔族啊！他們並沒有做錯什麼事！無知又怎樣？沒見識過地獄又怎樣？
他們是我的家人！他們是我親愛的家人啊！

火山老爺的心臟被穿了一個洞啊！
火山老爺！
各位！不要擔心！我還沒倒下呢！
怎麼會？你的心臟已經被我刺穿了啊！
讓我活下去的可不是心臟……
而是「心」啊！
BOOM!!!

嗯，確實讓我嚇了一跳呢……
不過，就是要這樣才好玩啊，不是嗎？
我用盡全力的一擊，對妳來說只是嚇了一跳嗎？
對不起，各位，我已經沒辦法再戰鬥下去了，我……嗚！
火山老爺！振作一點啊啊啊啊！
火山老爺沒有呼吸了！他死了啊啊！
什麼嘛，沒有心臟果然還是會死的嘛！
抱歉，我們來遲了，辛苦你了……
我們會守護好這座你拚了命守護的村莊。

你們是誰啊？
我們是戰鬼的魔將。
欸欸欸？又是戰鬼的魔將？不要鬧了啦！
你們該不會又是某某勇者吧？我怕了啦！
一群蠢貨！他們兩個可是真正的魔將啊！
竟然從戰鬼領地追來這裡，你們果然很喜歡跟我玩吧？
自己家的垃圾得要自己清乾淨啊。
不會再讓妳們胡作非為了！勇者！
戰鬼三魔將
史萊姆
戰鬼三魔將
暴民兔

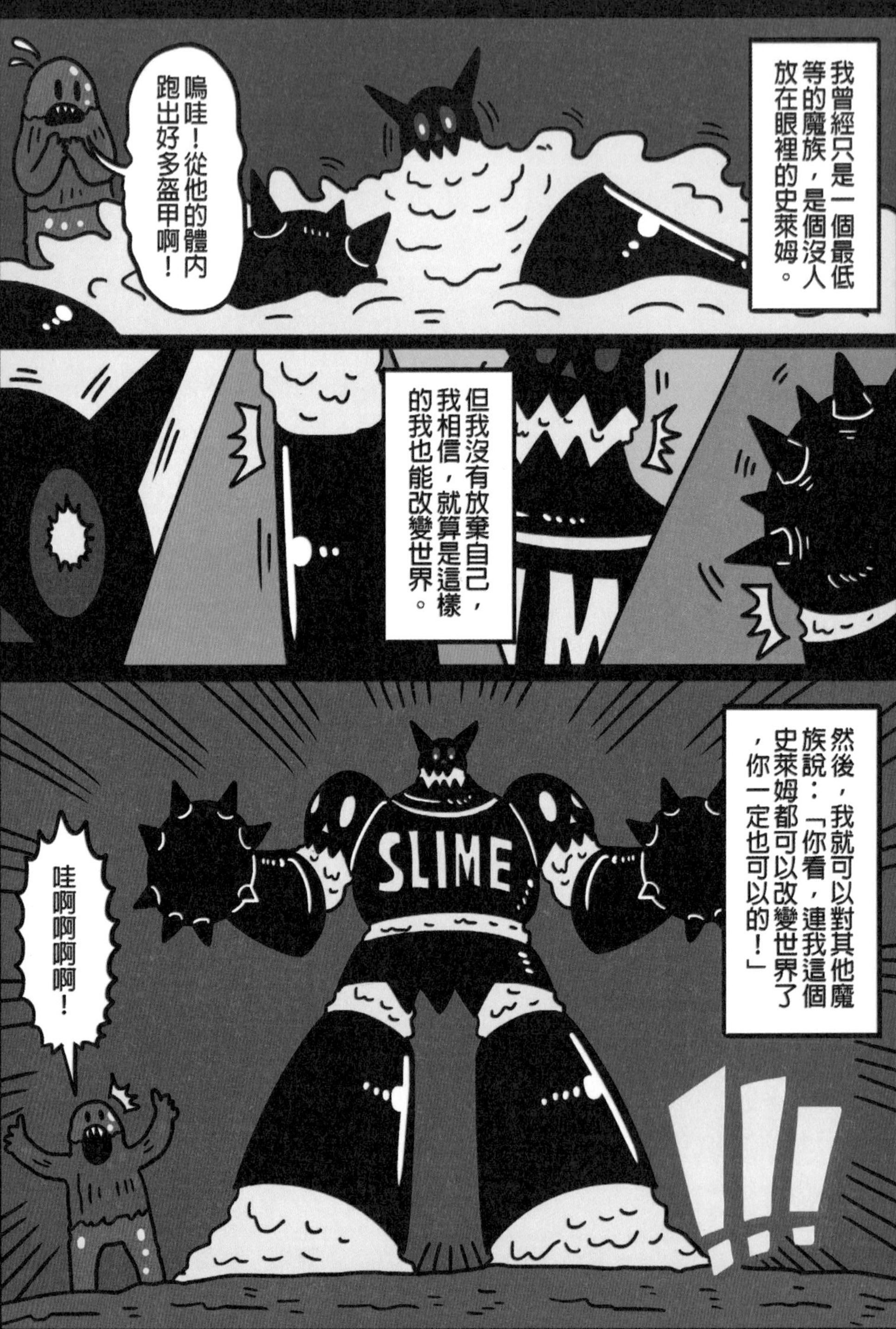
我曾經只是一個最低等的魔族，是個沒人放在眼裡的史萊姆。
嗚哇！從他的體內跑出好多盔甲啊！
但我沒有放棄自己，我相信，就算是這樣的我也能改變世界。
然後，我就可以對其他魔族說：「你看，連我這個史萊姆都可以改變世界了，你一定也可以的！」
SLIME
哇啊啊啊啊！
!!!

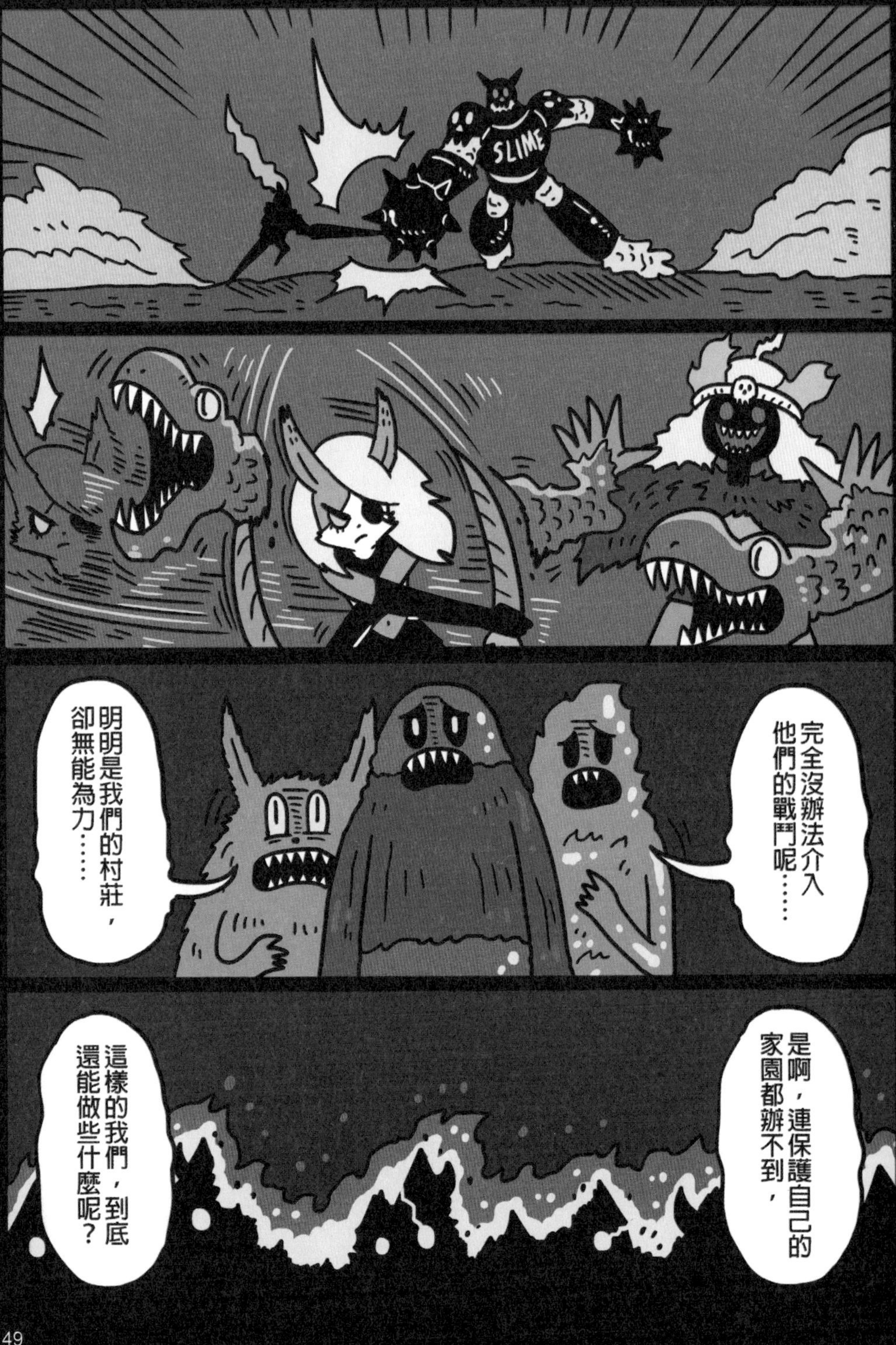
SLIME
完全沒辦法介入他們的戰鬥呢……
明明是我們的村莊，卻無能為力……
是啊，連保護自己的家園都辦不到，
這樣的我們，到底還能做些什麼呢？

戰鬼魔將與勇者戰鬥開始的第一天，無能為力的魔族只能在旁圍觀。
戰鬥持續到了第二天，魔族們紛紛回去整理被摧殘過的家園。
戰鬥進行到了第三天，魔族們替火山老爺蓋了一座雕像。
FIRE
這個村莊，以後就改名為「火山村」吧！
好啊！火山老爺一定會感到非常欣慰吧！

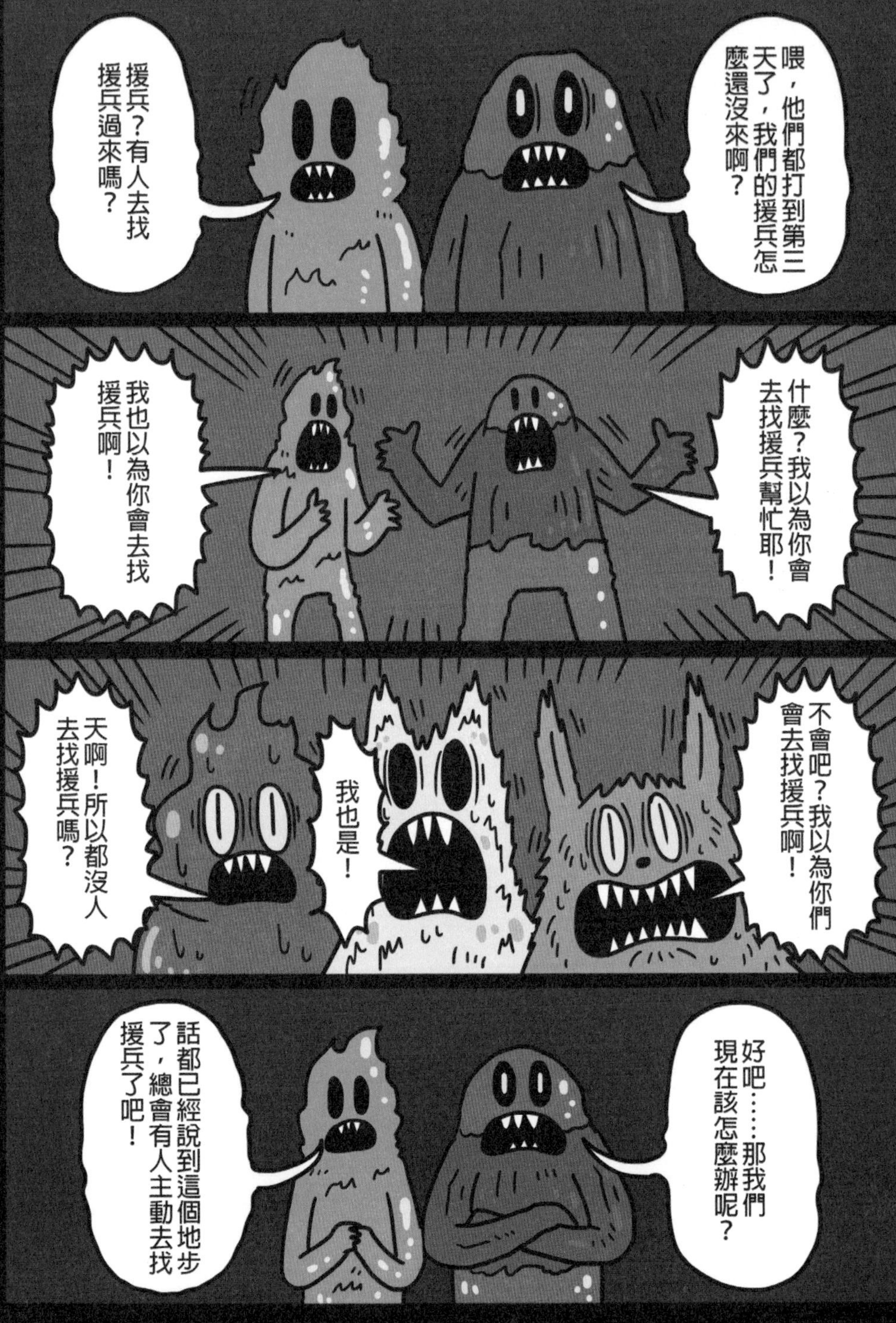
喂，他們都打到第三天了，我們的援兵怎麼還沒來啊？
援兵？有人去找援兵過來嗎？
什麼？我以為你會去找援兵幫忙耶！
我也以為你會去找援兵啊！
不會吧？我以為你們會去找援兵啊！
我也是！
天啊！所以都沒人去找援兵嗎？
好吧……那我們現在該怎麼辦呢？
話都已經說到這個地步了，總會有人主動去找援兵了吧！

欸，來墮落狂魔領地卻還在跟戰鬼的魔將打，真不好玩。
而且這個領地的魔族都好蠢，根本沒有想像中的好玩啊。
是這樣沒錯。
算了，不打了！我們先回城裡休息，再去戰鬼的領地玩吧！
好，都聽妳的。
妳們就好好休息一輩子吧！
各位魔族，我們就先回戰鬼領地了，你們自己多保重。
至少記一下其他領地魔將的臉吧，拜託。
太好啦！世界終於又和平啦！
火山老爺的犧牲是值得的啊！

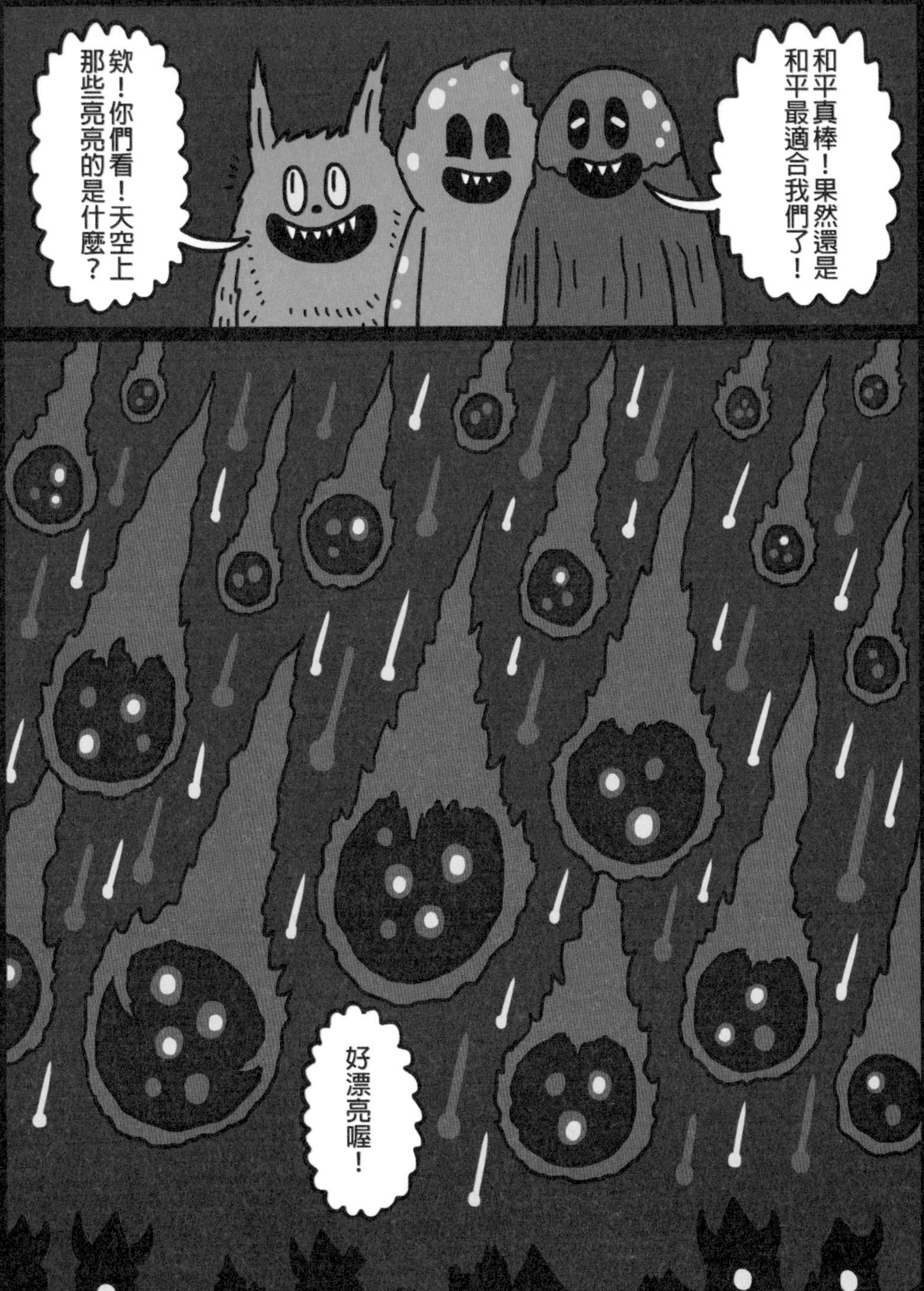
和平真棒！果然還是和平最適合我們了！
欸！你們看！天空上那些亮亮的是什麼？
好漂亮喔！

嗚哇，這個村莊馬上就被妳的「文化摧毀術」給夷為平地了。
我這個人很講求效率的！能用一招魔法解決就不要拖到兩招！
好啦！該往下一個村莊前進囉！
那邊有一座雕像沒被炸掉耶！
這魔族是誰？是這個村莊的某位偉人嗎？
無所謂啦！肯定是個不值得一提的魔族！

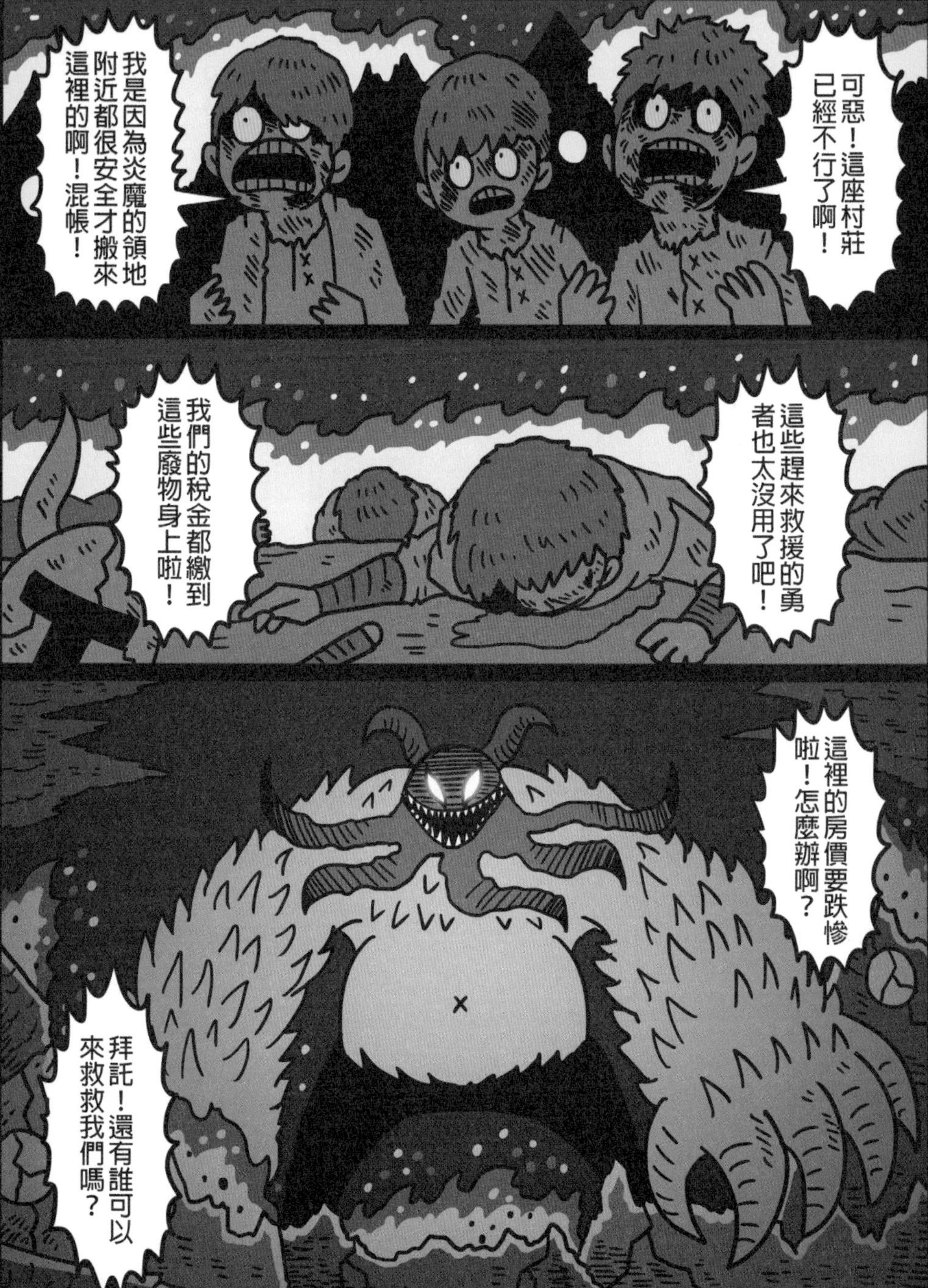
可惡！這座村莊已經不行了啊！
我是因為炎魔的領地附近都很安全才搬來這裡的啊！混帳！
這些趕來救援的勇者也太沒用了吧！
我們的稅金都繳到這些廢物身上啦！
這裡的房價要跌慘啦！怎麼辦啊？
拜託！還有誰可以來救救我們嗎？

這是怎麼回事啊？才離開幾天，
我的領地怎麼變成這副模樣……
墮落狂魔大人！您終於回來了！
您離開後，就有勇者來攻擊村莊……
那些勇者太可怕了！我們根本無能為力！
請您別繼續跟那些勇者鬥了！我們想要和平！
和平？我正在替你們爭取和平的未來啊！
毀掉村莊的不是我，而是人類的勇者啊！
DOR LOR

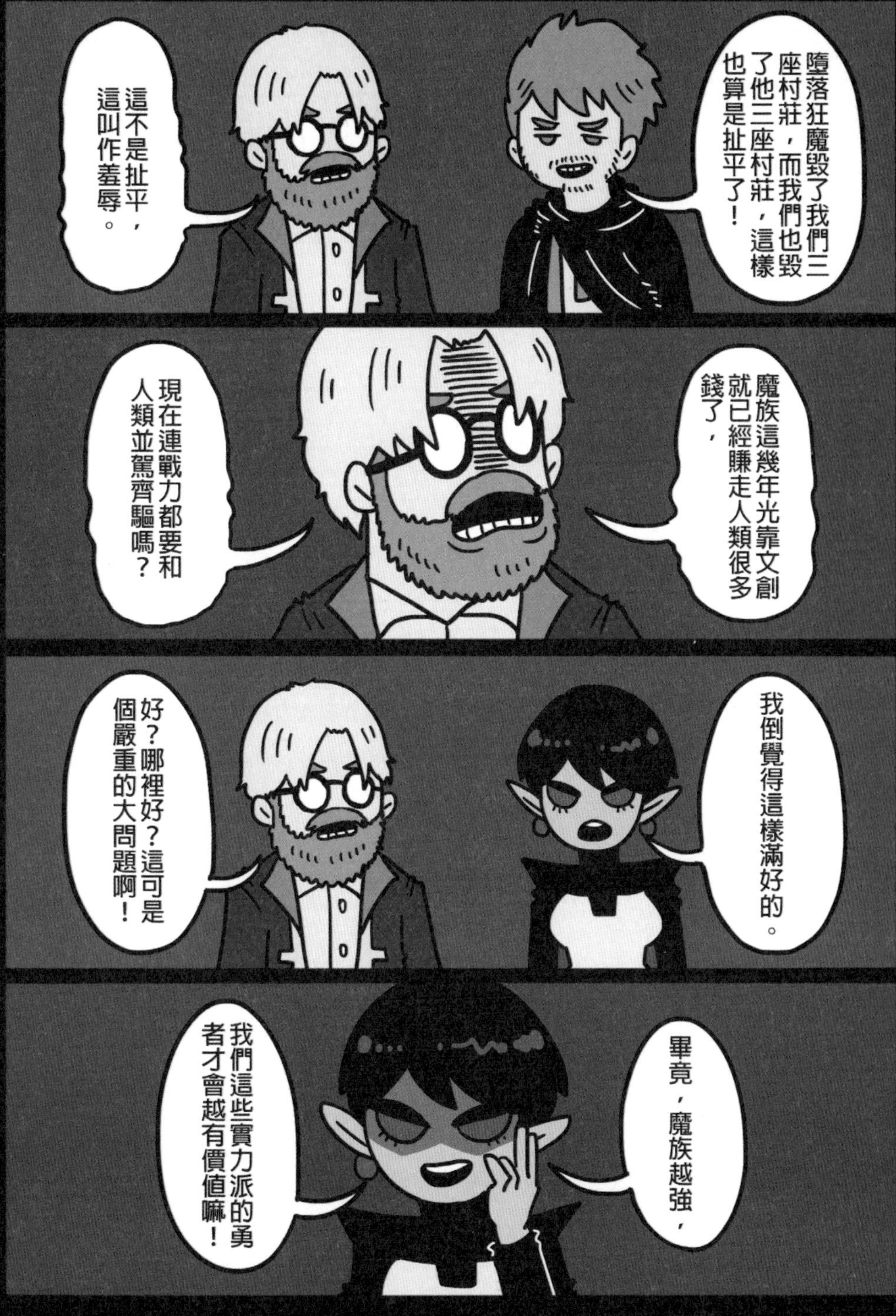
墮落狂魔毀了我們三座村莊，而我們也毀了他三座村莊，這樣也算是扯平了！
這不是扯平，這叫作羞辱。
魔族這幾年光靠文創就已經賺走人類很多錢了，
現在連戰力都要和人類並駕齊驅嗎？
我倒覺得這樣滿好的。
好？哪裡好？這可是個嚴重的大問題啊！
畢竟，魔族越強，
我們這些實力派的勇者才會越有價值嘛！

聽說墮落狂魔毀了很多人類的村莊啊！
唉，走了一個炎魔，換來了一個瘋子！
你不是很擅長攻打炎魔領地？你可以去打打看墮落狂魔的啊！
才不要，我去那邊是自尋死路啊！
墮落狂魔，你做得太好了，我原本的部下能讓你來帶領，真的是太好了……
沒錯，就讓人類知道魔族的厲害，就做出那些我曾經沒辦法下的決定吧！
也許，真正的世界和平就得要靠這種不和平的手段來獲得，
以和平手段來達到的世界和平，或許就只存在於我的想像中吧。

第七章

和平城

若要攻略墮落狂魔的話，可是需要很多實力派的勇者啊！
你這幾天就來召集那些勇者吧！
惡夢勇者和絕望勇者都算是固定班底了。
唉，要是第二勇者還在的話就好了！
聽說有個叫作滅火勇者的，之前在炎魔領地大放異彩。
這次的任務也把他一起找來吧！
其他勇者大多都還在攻略別的領地，
看來，這次也必須要借助慈愛勇者和憐憫勇者的力量了。

勇者公會要我去「和平城」一趟耶！
和平城？
嗯！那裡可是國內最和平的城市喔！
特別的是，和平城是由勇者掌管的！
和平城不受國家控管，全權由兩位勇者掌管，兩位勇者分別是——
最強的聖騎士「慈愛勇者」與最強的黑暗騎士「憐憫勇者」！
最和平的城市……真想見識一下啊！

和平城的村民們看起來都好光鮮亮麗啊！
確實呢……
我們不叫作村民喔！我們叫作「良民」！
喔，好……
我們是最善良的人民！世界上的一切都是如此美好！
歡迎來到這座世界上最和平的城市，「和平城」！

最和平的城市……所以你們城裡都不會有暴力事件發生嗎？
暴力？那是什麼？
暴力恐怕是……
不，一定就是……
難道真的是……
啊，你所說的暴力指的應該是……
「和平以外的事物」吧？
別擔心，和平城裡沒有那種東西喔！

啊！這座城裡面竟然有魔族！
魔族？那又是什麼？
就是他們啊！他們一看就是魔族啊！
魔族和人類竟然可以共同生活，不愧是和平城啊！
他們才不是什麼魔族呢！他們跟我一樣都是善良的良民喔！
喔，了解。
不過，你怎麼總是說著我們聽不懂的話呢？
你想要用「和平以外的事物」來汙染我們嗎？

看來你是「汙染者」呢，真可怕啊……
想破壞我們最珍貴的和平可沒那麼容易！
把他抓起來，讓憐憫勇者大人好好的「憐憫」一下吧……
等等！你們有話就好好說！
抓起來！抓起來！抓起來！
你需要更多更多更多的憐憫……
好啦！我知道錯了啦！我不會再亂說話了！
這、這裡可真是個和平的地方啊！不是嗎？

嗯？
綁住
哇啊！我被什麼東西抓住了？
別害怕，我把你從人群中給救出來了！
喔，謝謝。那你又是誰呢？
我是「盜賊互助會」的成員，人們都稱我為「藍繩子」！
我在這裡調查很長一段時間了，我要揭開和平城的「真相」！

和平城的真相？這裡有什麼真相呢？
難道這裡不像外表看起來那麼和平嗎？
沒錯，我就是為了揭開這座城市的真相才會待在這裡那麼久。
在我不斷的調查後，發現了一個不為人知的恐怖真相。
那就是，掌管這座城市的兩位勇者……
其實是魔族啊！
讓魔族來掌控人類的城市像話嗎？
我可不允許這種事情發生啊！

你快換衣服吧，要上班了。
蛤……
又到星期一了喔，好不想去上班喔！
說什麼傻話，我們不上班的話，
和平城的良民們該怎麼辦呢？
我又不是自願要當慈愛勇者的，我也不想背負這種血統啊！
真羨慕妳啊！那麼快就接受這個事實了！
振作點，今天輪到你發表演說了。
這些良民到底有多喜歡聽演說啊？

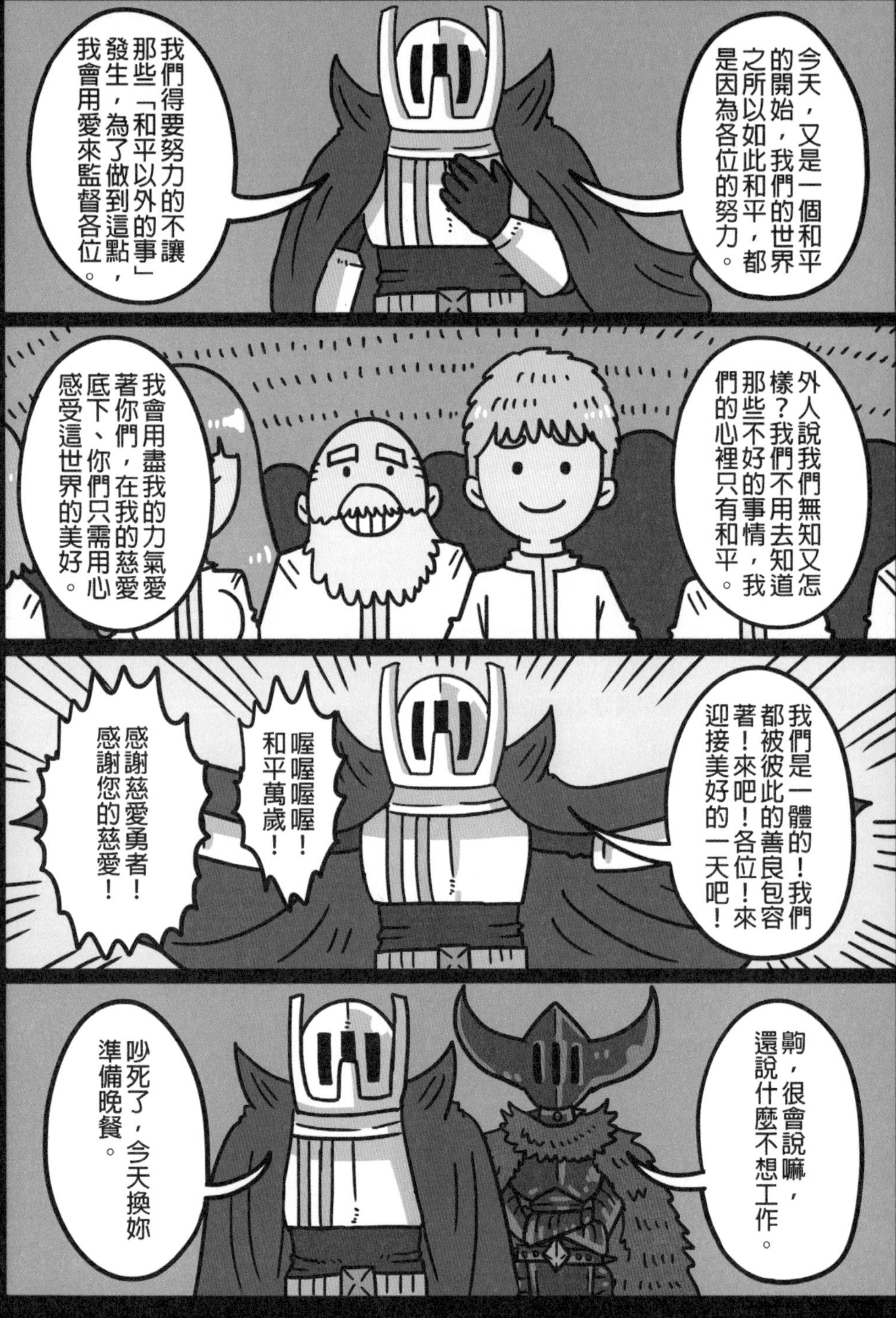
今天，又是一個和平的開始，我們的世界之所以如此和平，都是因為各位的努力。
我們得要努力的不讓那些「和平以外的事」發生，為了做到這點，我會用愛來監督各位。
外人說我們無知又怎樣？我們不用去知道那些不好的事情，我們的心裡只有和平。
我會用盡我的力氣愛著你們，在我的慈愛底下、你們只需用心感受這世界的美好。
我們是一體的！我們都被彼此的善良包容著！來吧！各位！來迎接美好的一天吧！
喔喔喔喔！和平萬歲！
感謝慈愛勇者！感謝您的慈愛！
齁，很會說嘛，還說什麼不想工作。
吵死了，今天換妳準備晚餐。

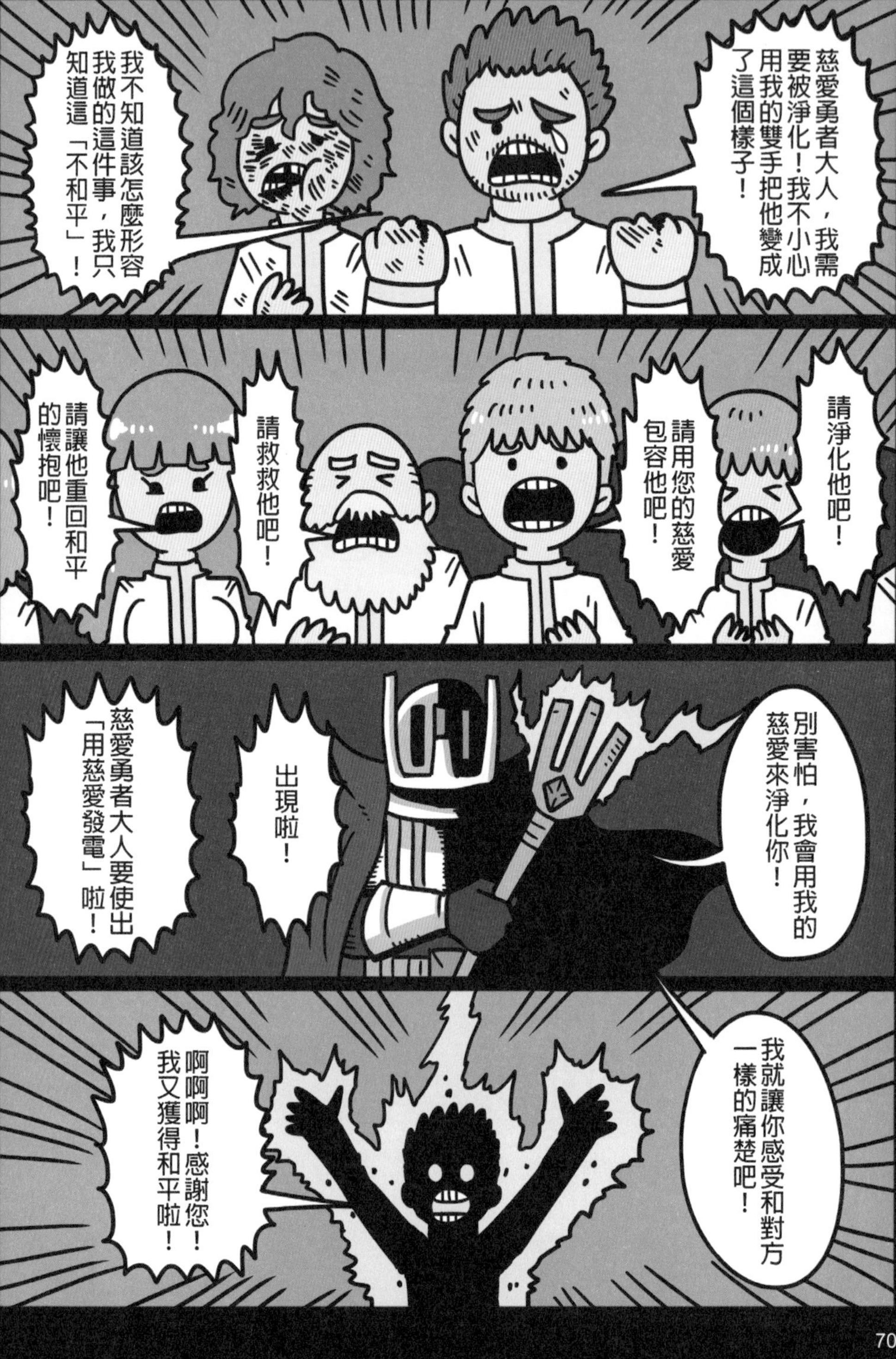
慈愛勇者大人，我需要被淨化！我不小心用我的雙手把他變成了這個樣子！
我不知道該怎麼形容我做的這件事，我只知道這「不和平」！
請淨化他吧！
請用您的慈愛包容他吧！
請救救他吧！
請讓他重回和平的懷抱吧！
別害怕，我會用我的慈愛來淨化你！
出現啦！
慈愛勇者大人要使出「用慈愛發電」啦！
我就讓你感受和對方一樣的痛楚吧！
啊啊啊！感謝您！我又獲得和平啦！

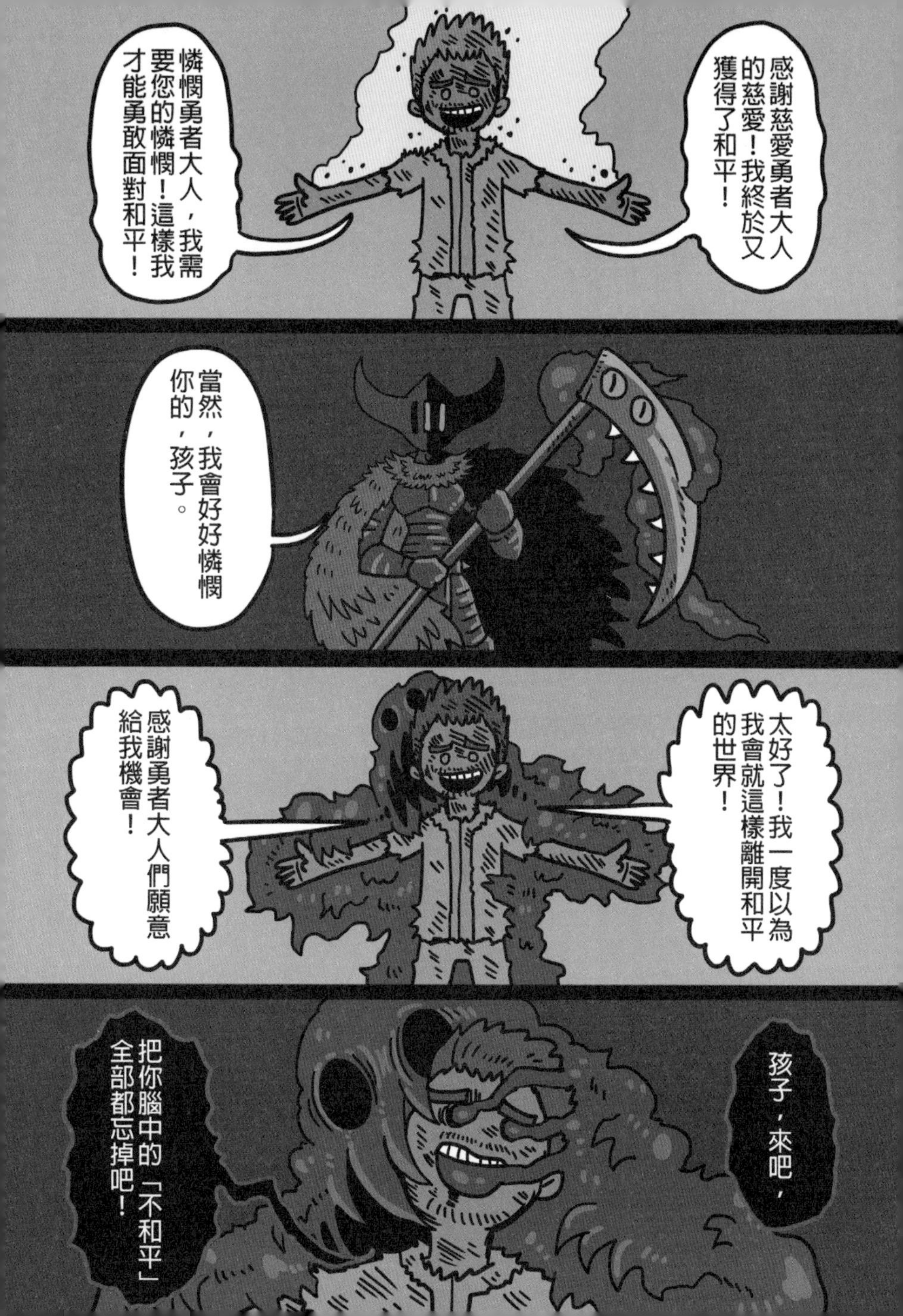
感謝慈愛勇者大人的慈愛！我終於又獲得了和平！
憐憫勇者大人，我需要您的憐憫！這樣我才能勇敢面對和平！
當然，我會好好憐憫你的，孩子。
太好了！我一度以為我會就這樣離開和平的世界！
感謝勇者大人們願意給我機會！
孩子，來吧，
把你腦中的「不和平」全部都忘掉吧！

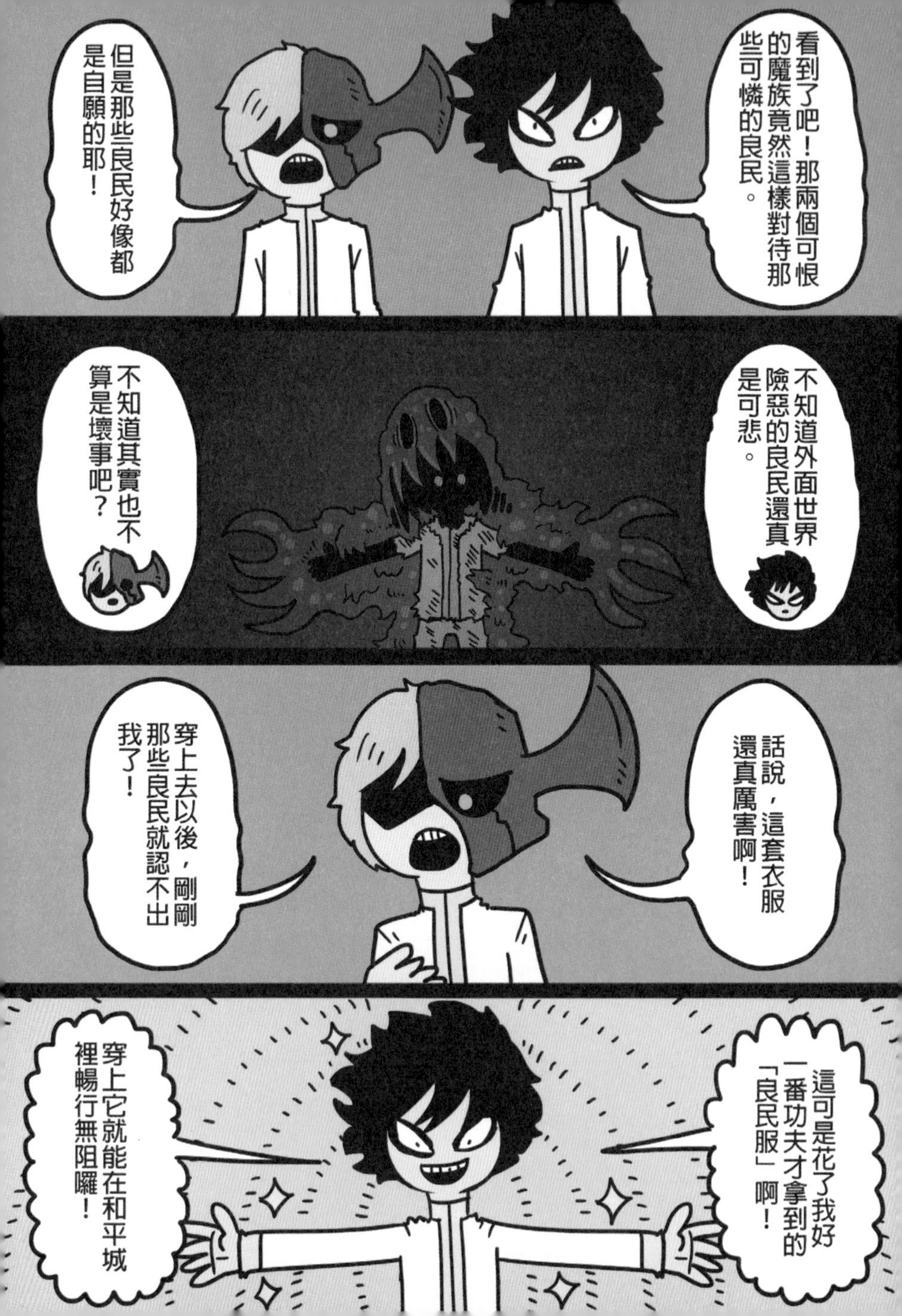
看到了吧！那兩個可恨的魔族竟然這樣對待那些可憐的良民。
但是那些良民好像都是自願的耶！
不知道外面世界險惡的良民還真是可悲。
不知道其實也不算是壞事吧？
話說，這套衣服還真厲害啊！
穿上去以後，剛剛那些良民就認不出我了！
這可是花了我好一番功夫才拿到的「良民服」啊！
穿上它就能在和平城裡暢行無阻囉！

所以你有想到什麼方法去對付那兩位勇者嗎？
哼哼哼，我早就準備好啦！
根據我的情報，勇者公會會長明天會來這裡找他們！
然後，我會在良民和公會會長的眼前把那兩位勇者的頭盔拔掉！
這樣一來，所有人都會知道這兩位勇者其實是魔族假扮的！
面對這種羞辱，勇者公會會長一定會有所行動的！

我真是受夠了！良民們真是一群笨蛋啊！連「打人」這個詞都說不出來！
他們什麼都不知道！只要是「不和平」的事都不知道！到底是怎麼活到現在的啊？
你不是早就該知道這件事了嗎？
才接手「慈愛勇者」的位子沒多久就在抱怨這種小事。
就是因為剛接手嘛！
我又不像妳，已經接手好幾年了！
總之，這座城市的良民們不像我們有去過「外面的世界」，
他們沒必要知道外頭的險惡，這就是「和平城」存在的意義。
難道你想要改變整座和平城嗎？
別鬧了，憐憫姊！光想就覺得麻煩！
繼續維持這樣吧，反正大家都喜歡！

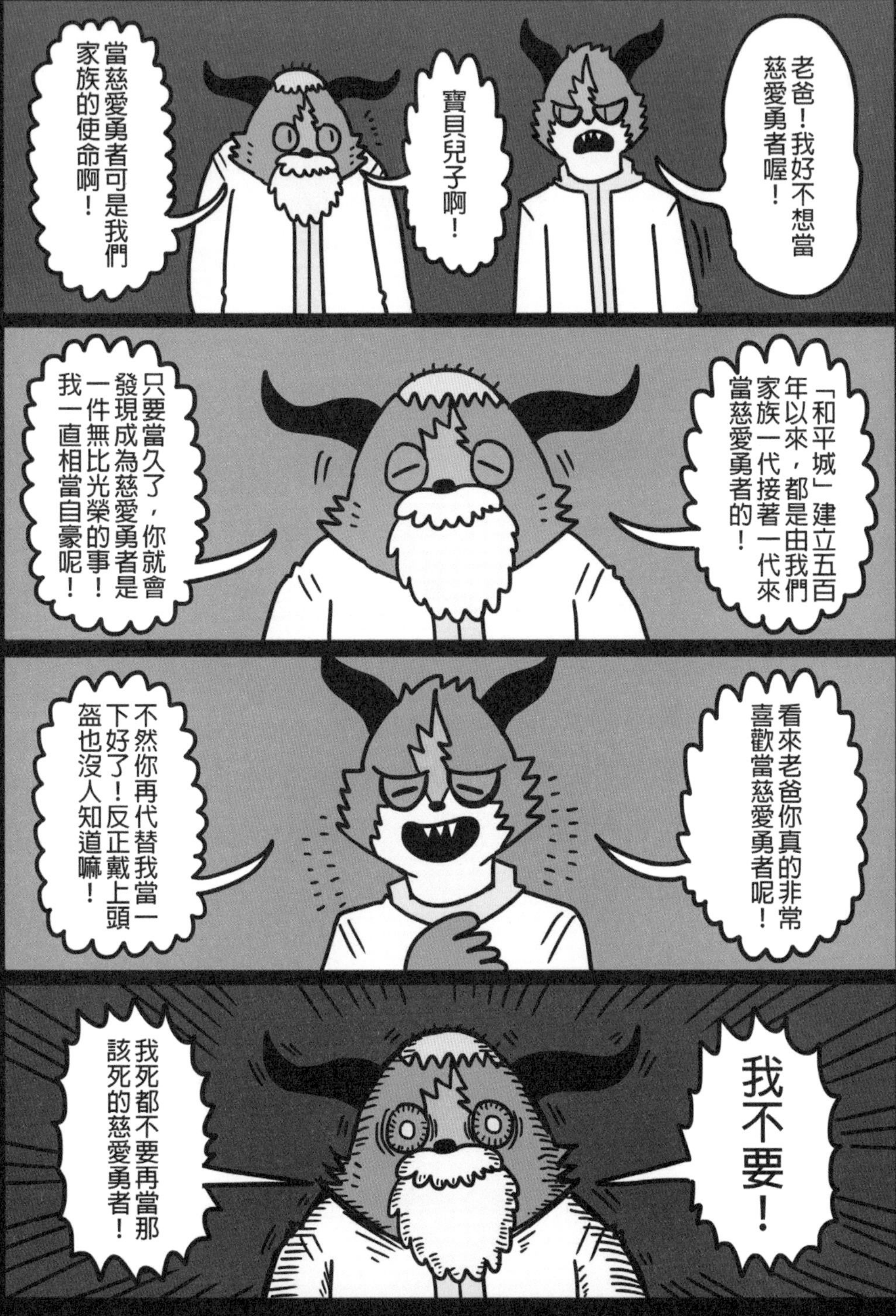
老爸！我好不想當慈愛勇者喔！
寶貝兒子啊！
當慈愛勇者可是我們家族的使命啊！
「和平城」建立五百年以來，都是由我們家族一代接著一代來當慈愛勇者的！
只要當久了，你就會發現成為慈愛勇者是一件無比光榮的事！我一直相當自豪呢！
看來老爸你真的非常喜歡當慈愛勇者呢！
不然你再代替我當一下好了！反正戴上頭盔也沒人知道嘛！
我不要！
我死都不要再當那該死的慈愛勇者！

大姊！我們來找妳了！最近還好嗎？
慈愛勇者又跑去哪裡鬼混了呢？
他跑去找他老爸了。
哈哈！真是沒骨氣！他那樣的廢物竟然還有辦法當慈愛勇者！
哪像我們強悍的大姊！妳是我們家族的驕傲！
別取笑他，再怎麼說他也還是接下這份工作了。
在我眼裡，他就是一位貨真價實的慈愛勇者！
好啦！大姊別生氣了！真是的！妳每次都那麼護著他！
我們只是擔心、如果妳的搭檔很沒用，妳的工作量會更大嘛！

為什麼我不能接受眼前的和平呢？是因為這裡的和平是虛假的嗎？
但是，怎樣的和平才是真實的呢？
只因為我曾經待過外面的世界，見識過各式各樣的險惡，就可以否定這裡的和平嗎？
難道在我的眼裡，只有險惡是真實的，而和平都是虛假的嗎？
或許，我不能接受的並不是虛假的和平。
我不能接受的，是那個只相信險惡的自己。

所以我說，你為什麼要那麼害怕我呢？
我才沒有害怕你，而且你就是我啊！
你明明就在害怕，你害怕自己戴上頭盔後就得變成另外一個人。
但這有什麼不好的？很多人就算不戴上頭盔、也會變成另一個人啊！
還是說，你害怕拿掉頭盔以後的自己，就什麼都不是了？
不，你還是你，而我也是你，別懷疑自己的價值！
我們是「慈愛勇者」！我們是大家所深信不疑的勇者！
接受我吧！接受你自己吧！我親愛的我啊！

盜賊互助會
紅插播
我的「插播魔法」可以將我眼前所看到的畫面插播到全國上下的「映像水晶」中。
盜賊互助會
綠恐慌
我的「恐慌魔法」可以讓大家產生莫名的恐慌感。
這兩位就是這次行動的隊員！他們也都是盜賊互助會的成員！
這次一定要將和平城的醜陋真相揭開！並且讓全國人民知道！
嗚哇，都是些唯恐天下不亂的魔法呢。
反正不管怎樣，都不要把我牽扯進去。

滅火勇者與盜賊互助會一行人就在廣場等到了隔天早上。
看啊！勇者公會會長終於來到這裡啦！
不知道他看到那兩位勇者的真面目會露出什麼表情啊！
或許他早就知道他們兩個都是魔族了啊！
來啦！這次的主角總算登場啦！
來吧來吧！快發表那虛假的演說吧！
我要在所有人面前……
揭開你們噁心的真面目！

今天的演說就到這裡結束。
如果各位還有什麼問題，都……
！
啊啊啊！
各位！快看啊！這兩位勇者的真面目竟然是魔族！
原來和平城一直以來都被魔族給掌控了！
原來勇者大人長那樣啊！不過……
魔族是什麼？和平城裡只有良民啊！
可悲！被魔族洗腦到這個地步！不過別擔心！我來救你們啦！

看我的恐慌魔法！
來感受莫名的恐慌吧！
這、這是什麼感覺？
心裡頭突然冒出一種很不和平的感覺啊！
看到勇者大人的真面目後就有了這種感覺！
難不成勇者大人真的是某種不和平的東西嗎？
來吧！把這個畫面插播到全國上下的映像水晶中吧！
哼哼，沒問題。

哇啊啊啊啊！
怎麼辦啊！
這是恐慌魔法造成的效果嗎？
不過很可惜，精神攻擊的魔法對我沒用。
畢竟，身為勇者公會會長的我啊，
每天都要面對那些我行我素的勇者，這種工作根本就不是人幹的！
我的精神力早就被那些勇者磨練到無比堅固了！
但是，我到今天才知道這兩位勇者是魔族啊，嚇死我了！
糟糕，又開始胃痛了，加油啊！我的精神力！

映像水晶前面的各位觀眾！
這就是慈愛勇者與憐憫勇者的真面目！
嗚哇！
真可怕啊！
魔族當勇者也就算了，還掌管了人類的城市！這像話嗎？
人類的尊嚴都跑到哪裡去了？
各位觀眾！你們能夠允許這樣的事情發生嗎？
老婆，情報管理局那邊知道這件事嗎？
不知道，畢竟他們兩位勇者一直以來都不是需要注意的對象。
也就是說，我們是和全國人民「同一時間」知道這件事的嗎？
這種感覺可真不舒服，看來是需要好好處理這件事情了。

他們竟然是魔族！
真噁心！不是人類還來當什麼勇者啊！
人類以外的種族來當勇者果然很奇怪嗎？像是我這樣的……
哼，村民們就只要安安靜靜的被勇者保護就好了！別管他們！
反正他們繳的稅也成了我們的薪水，這樣想就沒人吃虧啦！

這座「和平城」本身就是一個謊話！
這裡的市民完全不知道外面的世界是什麼樣子！
你們所謂的和平，只是在逃避這個世界的現實啊！
這樣的和平完全沒有存在的必要！
這樣的和平哪裡錯了？
要是逃避現實就能獲得和平的話，
那為什麼不逃呢？

藉由逃避現實來獲得和平？別笑死人了！
這件事本身就是個天大的錯誤！這座和平城根本就不該存在！
你擅自把自己當成是正確的、又擅自把我們當成是錯誤的！
難道你這樣的做法就是對的嗎？
拿自己的價值觀來檢討別人可還真輕鬆啊！
不管你說什麼！我都會守護和平城！
你長大了呢，不需要讓我操心了。
對我來說，沒有什麼比這件事更重要了。

你就是讓群衆恐慌的罪魁禍首吧，抱歉，我必須要解決你。
恐慌魔法對你沒用？可、可惡啊！等等！
勇者公會會長大人！您要解決的人怎麼會是我呢？我們可是揭開真相的人啊！
我們是正義的一方！沒錯吧？假扮成勇者的魔族才是邪惡的！您應該去解決他們！
真相可不代表正義，而正義也不代表一定被這個國家所需要。
SORRY
這個國家需要的就只是「和平」啊。

承認吧！你們根本就不是和平的存在啊！把自己的真面目隱藏了那麼久，
就是因為你們自己也知道！身為魔族就是一種錯誤！不是嗎？
我們的真面目是怎樣都不重要！重要的是這座城市！
這座城市的和平才是最重要的！市民們的幸福才是最重要的！
他們才是這座城市的主角！他們才是在主宰這座城市的人！
他們的善良與純潔是事實！我們的真面目在他們面前根本就不值一提！
而且在我們成為勇者的那一刻起、我們就不是魔族了！
我們是勇者！

不妙了！現在的民調顯示，
民眾絕大多數都支持那兩位魔族啊！
什麼？真是愚蠢！
勇者公會會長大人啊！請您以正義之名制裁那兩位假扮成勇者的魔族吧！
您一定也無法饒恕他們吧？您一定也要顧及勇者公會的面子吧？
不，現在民眾支持哪邊，哪邊就是正義！所以我沒什麼好制裁的！
總之，這是你們自己製造的問題，就請你們自己私底下解決吧！
……（怕）

好了，請你們離開這座城市吧。
這件事就這樣了結吧！
你、你真的不「制裁」我們嗎？
我們明明對你們做了那麼過分的事情！
算了吧，你們就只是揭開我們的真面目罷了，我們是魔族也是事實啊。
而且，這裡可是和平城，我並不想做那些「不和平」的事。
好險你們不是人類！要是人類的話，才不會輕易放過我們呢！
這種時候我就很慶幸你們是魔族啊！

會長！抱歉一直沒說我們是魔族這件事！
哈哈！別這樣說！
你們可是人類啊！
我們是人類？
對啊！既然成為了勇者，那你們也就成為了人類啊！
所以，別說那些令人沮喪的話嘛！你們才不是魔族呢！
希望你們從現在開始能把自己當成人類看待，夥伴！
是、是的……
我、我是人類……

滅火勇者，你在這裡啊！我正要找你呢！
會長大人，好久不見了！
……
好啦！既然你們剛好都在這裡，
那我就直接切入這次的正題吧！
你們也知道墮落狂魔最近非常狂妄，
所以，我來這裡是要邀請各位勇者，
一起參與「討伐墮落狂魔」的任務！
討、討伐墮落狂魔？

兒子！你回來啦？開會還順利嗎？
媽，我和「和平城」的人談好了，他們願意讓妳跟妹妹搬過去那邊住！
雖然那邊有點奇怪，但真的很和平喔。這裡是我所有的積蓄，妳先幫我保管吧！
你……接了很危險的任務嗎？
不能拒絕嗎？
那可是勇者公會會長直接指派的任務，
拒絕的話，我們以後都會很不好過的……
不過別擔心啦！媽！妳兒子可是個很厲害的勇者啊！
妳們就先去和平城等我吧！我很快就會回來陪妳們了！

哥哥，謝謝你帶我出來玩，我最喜歡和哥哥一起出門了！
哈哈，三天後哥哥就要去出任務了，不知道下次一起出來玩是什麼時候了！
哇！他就是妳的哥哥嗎？就是那位滅火勇者嗎？
啊！哥哥！他們是我的好朋友！
我爸媽說勇者都是很偉大的人！你們保護了我們！謝謝你！
我、我一直都很崇拜你喔！滅火勇者！
對啊！我的哥哥是很偉大的勇者喔！
哥哥是我的驕傲喔！

你好，
我想用我所有的積蓄買這裡的裝備！
不好意思，我們不能賣裝備給村民喔！
國家規定我們只能提供裝備給勇者。
您為什麼會想要來買裝備呢？
STEEL
我兒子是滅火勇者！他三天後就要去討伐墮落狂魔了！我只是想要為他做些什麼！
我想要他穿著更堅固的裝備！我想要他能夠平平安安地回來！就只是這樣而已啊！
討伐墮落狂魔嗎？好吧，我就把裝備賣給您吧！
能夠為滅火勇者盡一份心力，也是我的光榮啊！

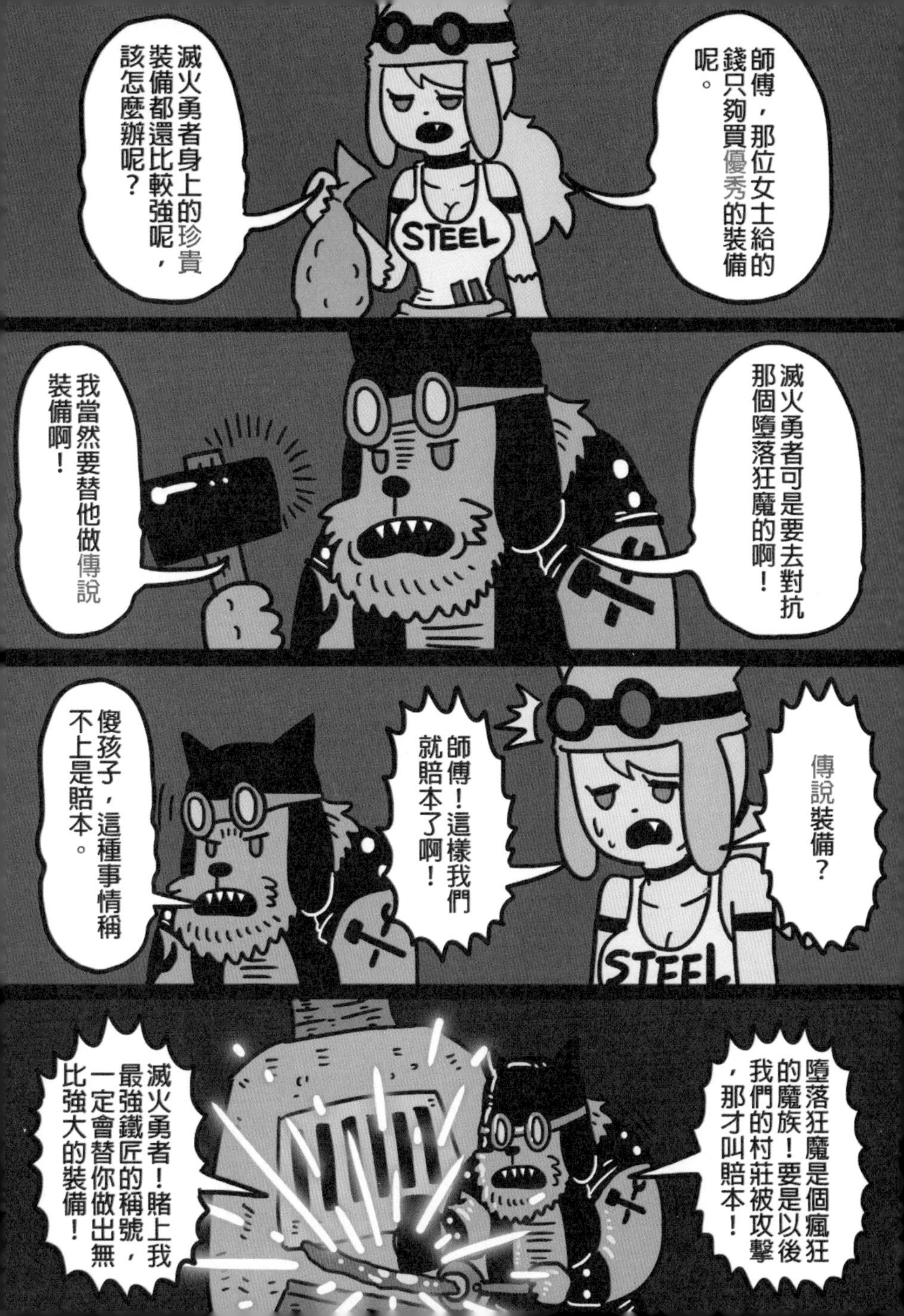
師傅，那位女士給的錢只夠買優秀的裝備呢。
滅火勇者身上的珍貴裝備都還比較強呢，該怎麼辦呢？
STEEL
滅火勇者可是要去對抗那個墮落狂魔的啊！
我當然要替他做傳說裝備啊！
傳說裝備？
師傅！這樣我們就賠本了啊！
傻孩子，這種事情稱不上是賠本。
STEEL
墮落狂魔是個瘋狂的魔族！要是以後我們的村莊被攻擊，那才叫賠本！
滅火勇者！賭上我最強鐵匠的稱號，一定會替你做出無比強大的裝備！

嗚哇！怎麼會有這套傳說裝備？媽，妳從哪裡弄來的？
我有種從普通角色變成超稀有角色的感覺啊！
你每次拿回來的生活費我都有好好的存著喔！
再加上你叫我保管的積蓄，這套裝備就是這樣來的喔！
媽！那些錢是要給妳們過活用的啊！
過什麼活！要是你不在了，我還能活得那麼開心嗎？還能每天期待明天的到來嗎？
總之，現在我們完全沒錢了！等你任務完成回來後，再繼續賺錢給我和妹妹花吧！
出任務前就從媽媽手上拿到神裝，還真幸運呢，對吧？
唉，這下就算被殺，都得活著回來啊！

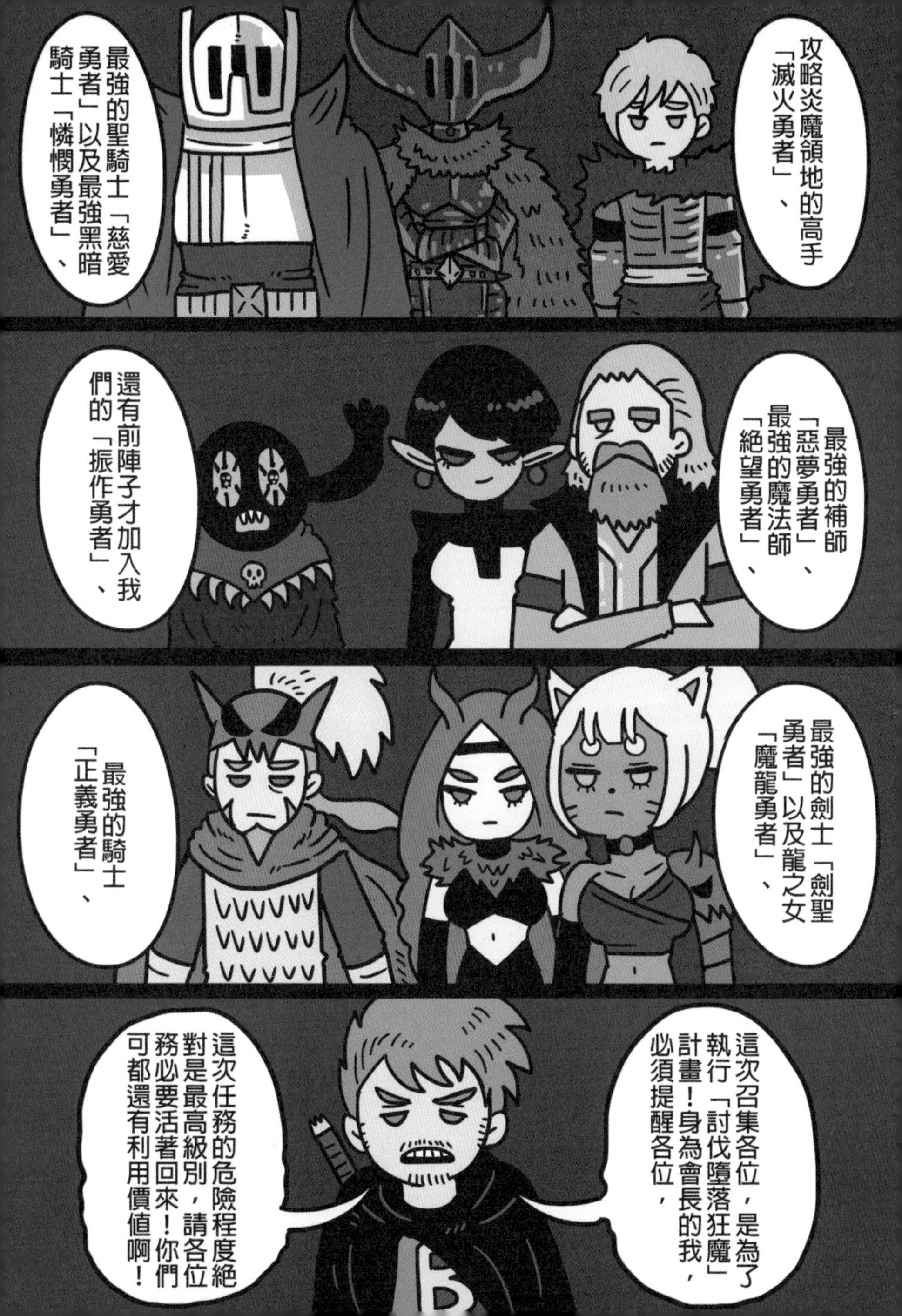
攻略炎魔領地的高手「滅火勇者」、
最強的聖騎士「慈愛勇者」以及最強黑暗騎士「憐憫勇者」、
最強的補師「惡夢勇者」、最強的魔法師「絕望勇者」、
還有前陣子才加入我們的「振作勇者」、
最強的劍士「劍聖勇者」以及龍之女「魔龍勇者」、
最強的騎士「正義勇者」、
這次召集各位，是為了執行「討伐墮落狂魔」計畫！身為會長的我，必須提醒各位，
這次任務的危險程度絕對是最高級別，請各位務必要活著回來！你們可都還有利用價值啊！

等一下！那個「振作勇者」怎麼看都有問題吧！
他不就是前魔族四天王的病魔嗎？
哈哈，這妳就有所不知了，劍聖。
自從他輸給我之後，就跑來向我請教要如何變強、如何變得更有病！
然後，在他努力了一段時間後，他終於拋棄魔族的身分，成為了勇者！
現在我們可是非常要好的朋友呢！還會一起逛街、一起吃蛋糕喔！
對吧！
我現在可不是病魔，我是「振作勇者」！
就是這樣。
喂，請你振作一點！

正義勇者先生，我聽說過很多您的英勇事蹟呢！您是個非常正義的人啊！
喂！正義勇者是本小姐我啦！「可愛即是正義」就是本小姐的正義！
頭、頭盔說話了？
本小姐是世界上最可愛的頭盔！我是會騎在全天下男人頭上的最強騎士！
男人們都只是本小姐的坐騎！同一個坐騎我只會騎三天！騎完一個就馬上換一個！
大小姐，但是妳已經騎在我頭上五年了。
囉、囉嗦啦！本小姐有允許你說話嗎？
還真的是最強的「騎士」啊……

BOOM!
BOOM!
把墮落狂魔主城的城門轟掉吧！
在你們的肝爆掉前先把門給炸爆吧！攻城師們！
BOOM!!
遵命！繼續轟炸！
發射！
我們要在「惡夢勇者」他們來到這裡之前，把城門給炸掉才行！
趁墮落狂魔不在的時候盡情進攻吧！
趁墮落狂魔不在的時候攻打還真狡猾啊。
他不也是這樣對待我們人類的村莊嗎？
最強的坦克
無傷勇者
最強的攻城師
破門勇者

真是的，沒想到你竟然會主動找上門。
這可真是意料之外啊，真糟糕。
當然！每次都在我們魔族的地盤戰鬥很不公平吧？
這次輪到你們的家園被破壞了！人類！儘管出招吧！
你們可要小心點，
別傷害到自己的人民啊！勇者！

第八章
墮落狂魔來襲

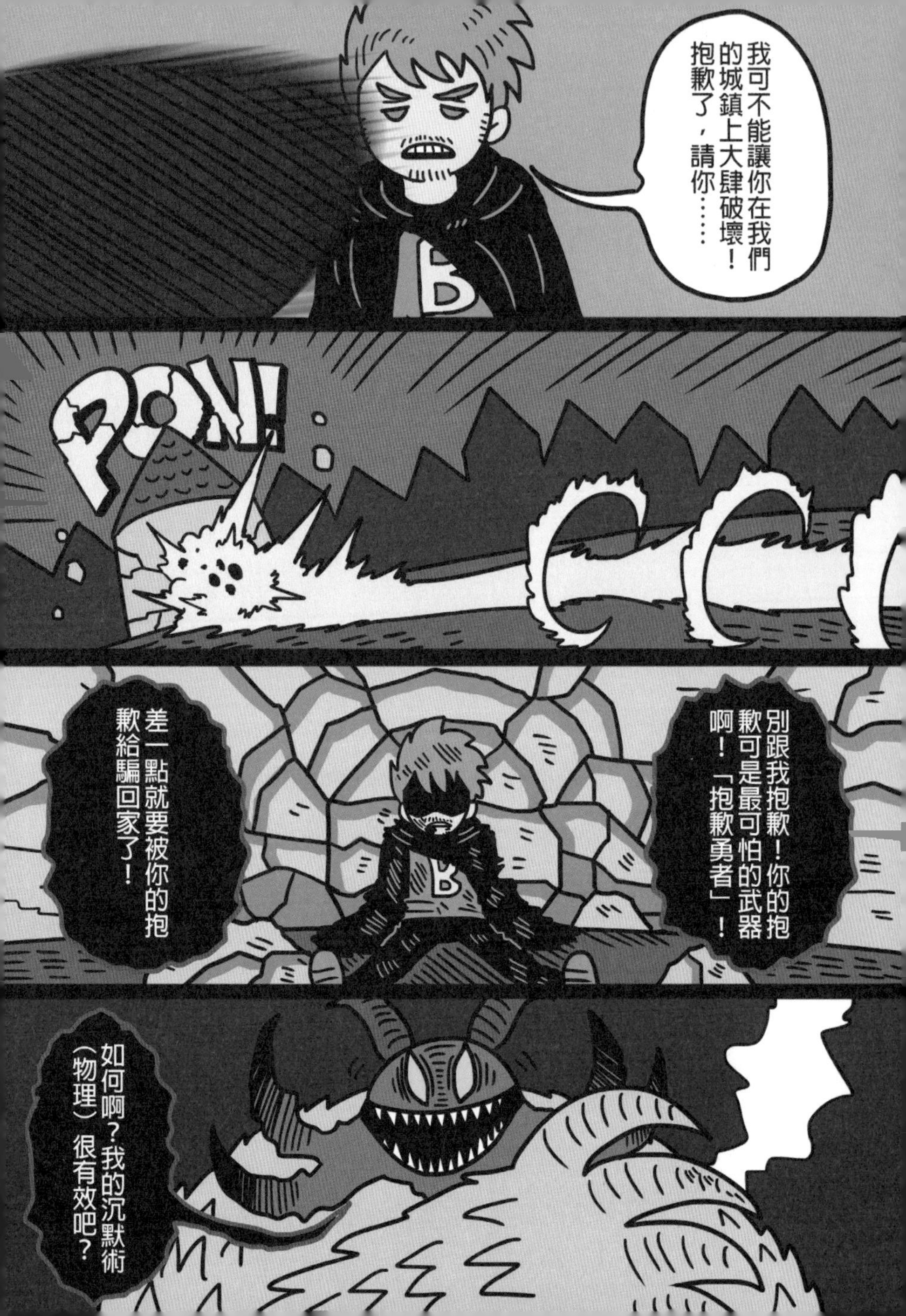
我可不能讓你在我們的城鎮上大肆破壞！抱歉了，請你……
PON!
別跟我抱歉！你的抱歉可是最可怕的武器啊！「抱歉勇者」！
差一點就要被你的抱歉給騙回家了！
如何啊？我的沉默術（物理）很有效吧？

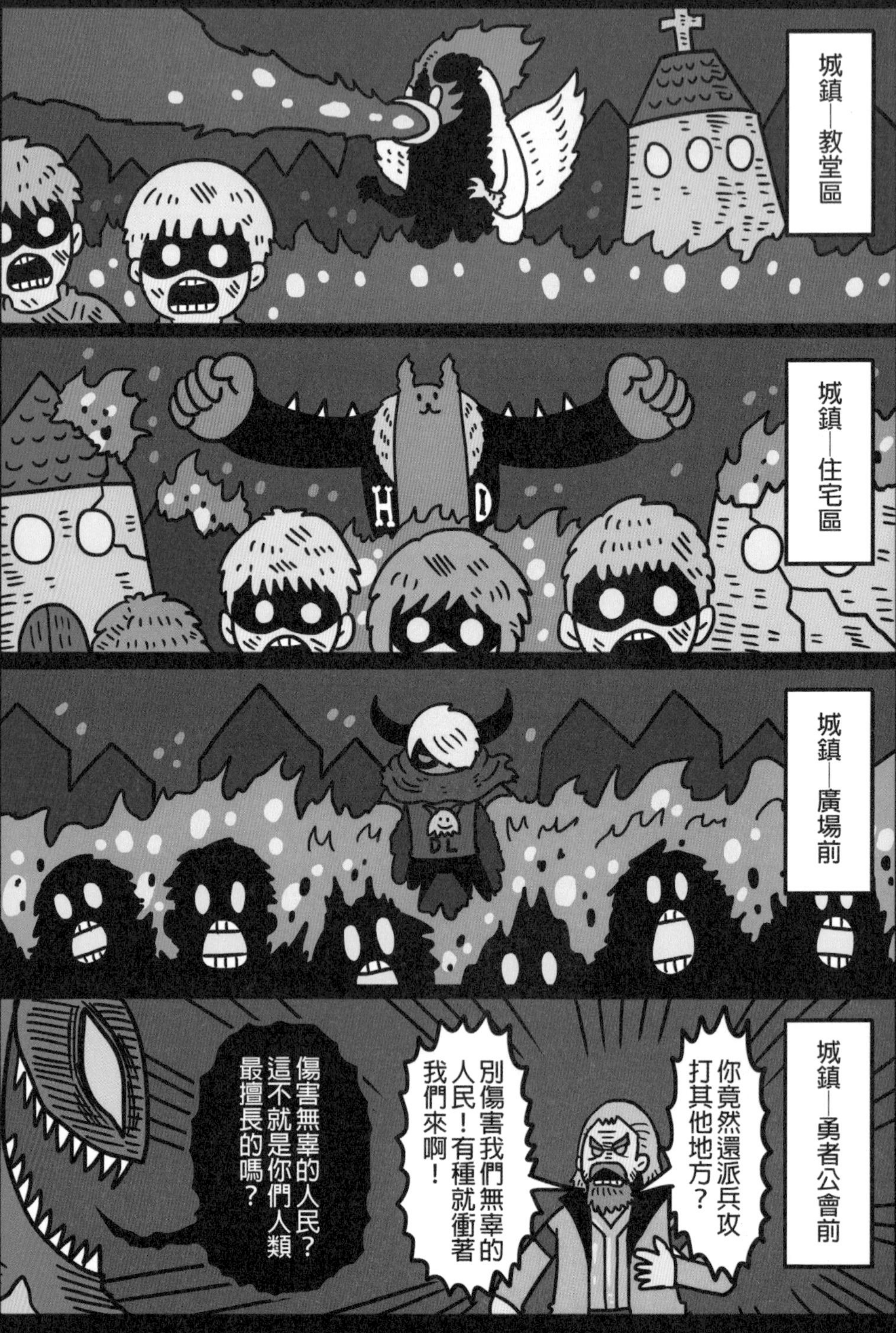
城鎮—教堂區
城鎮—住宅區
城鎮—廣場前
城鎮—勇者公會前
你竟然還派兵攻打其他地方？
別傷害我們無辜的人民！有種就衝著我們來啊！
傷害無辜的人民？這不就是你們人類最擅長的嗎？

唔！情況怎麼突然間變得那麼危急？
咦？小炎貓呢？跑到哪裡去了？
這裡就先交給我和絕望勇者以及振作勇者吧！
你們其他人就先去對付其他魔將吧！
交給我們吧！
交、交給我們吧！
惡夢勇者，你可要好好撐住啊！
哈哈哈！很好！你們就盡量把戰力分散吧！
我就一個一個的解決你們！

墮落狂魔城 城門
太好啦！攻破這道城門啦！
繼續往裡面進攻吧！各位！
等等，那團火焰看起來好像怪怪的。
嗯？
有火焰的地方就有我！呼……
好久沒用這招火焰瞬間移動術了！
我可不會讓你們進去這座城市！
!!
I'm Fire
這座城市將由我炎魔來守護！

炎魔？哈哈！還真是令人放心啊！
你一直以來都不會殺害人類呢！
是啊，從神靈變成魔族，又被魔族趕走，一直以來，我犯了許多錯。
但是，我不會再繼續錯下去了，我已經找到屬於我的正確了！
I'm Fire thankU
我決定了，我也要打造一個像「和平城」的地方！
但首先，為了保護我的家園，我得殺光你們！
I'm Fire thankU
慘了。

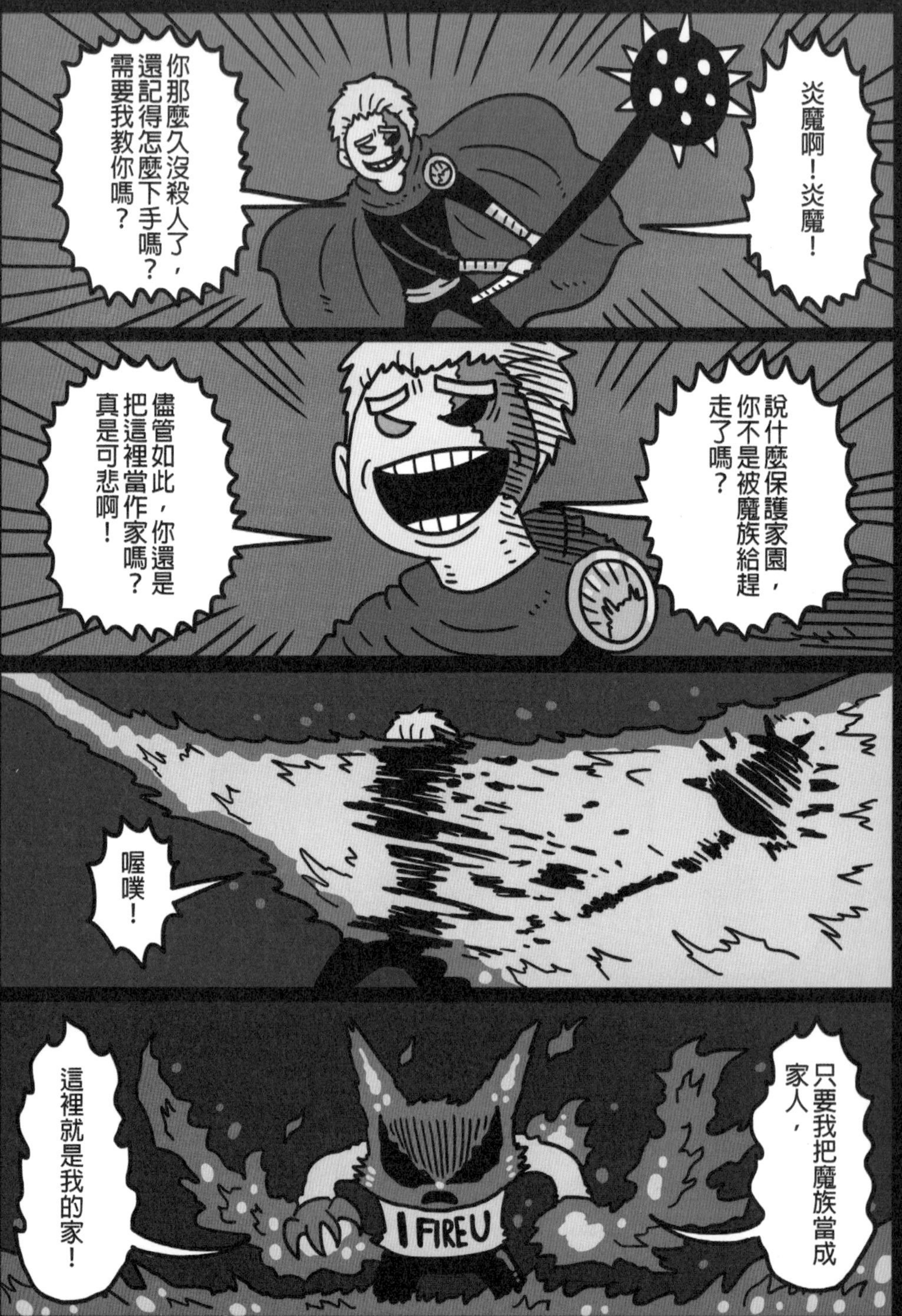
炎魔啊！炎魔！
你那麼久沒殺人了，還記得怎麼下手嗎？需要我教你嗎？
說什麼保護家園，你不是被魔族給趕走了嗎？
儘管如此，你還是把這裡當作家嗎？真是可悲啊！
喔噗！
只要我把魔族當成家人，
這裡就是我的家！
I FIRE U

可惡的炎魔啊……
真是難看。
破門勇者，你就到此為止了吧。
哇啊！無傷勇者！你這個叛徒……
魔法盾劍！
魔法盾砲！
喂！你為什麼要殺自己人啊？
和你作對可會讓我受傷啊，我選擇與你同一陣線，夥伴。

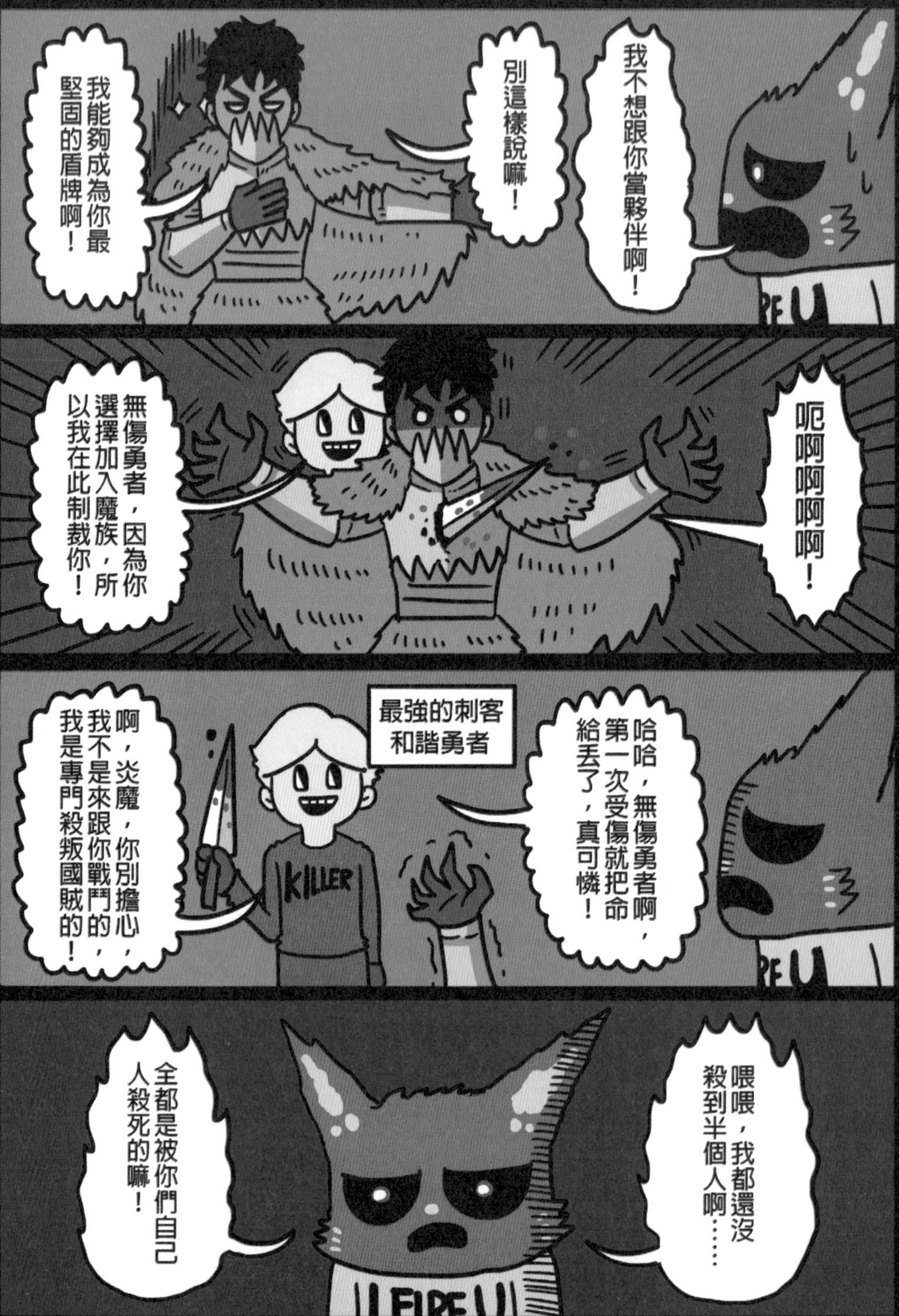
我不想跟你當夥伴啊！
別這樣說嘛！
我能夠成為你最堅固的盾牌啊！
呃啊啊啊啊啊！
無傷勇者，因為你選擇加入魔族，所以我在此制裁你！
哈哈，無傷勇者啊，第一次受傷就把命給丟了，真可憐！
最強的刺客和諧勇者
啊，炎魔，你別擔心，我不是來跟你戰鬥的，我是專門殺叛國賊的！
KILLER
喂喂，我都還沒殺到半個人啊……
全都是被你們自己人殺死的嘛！

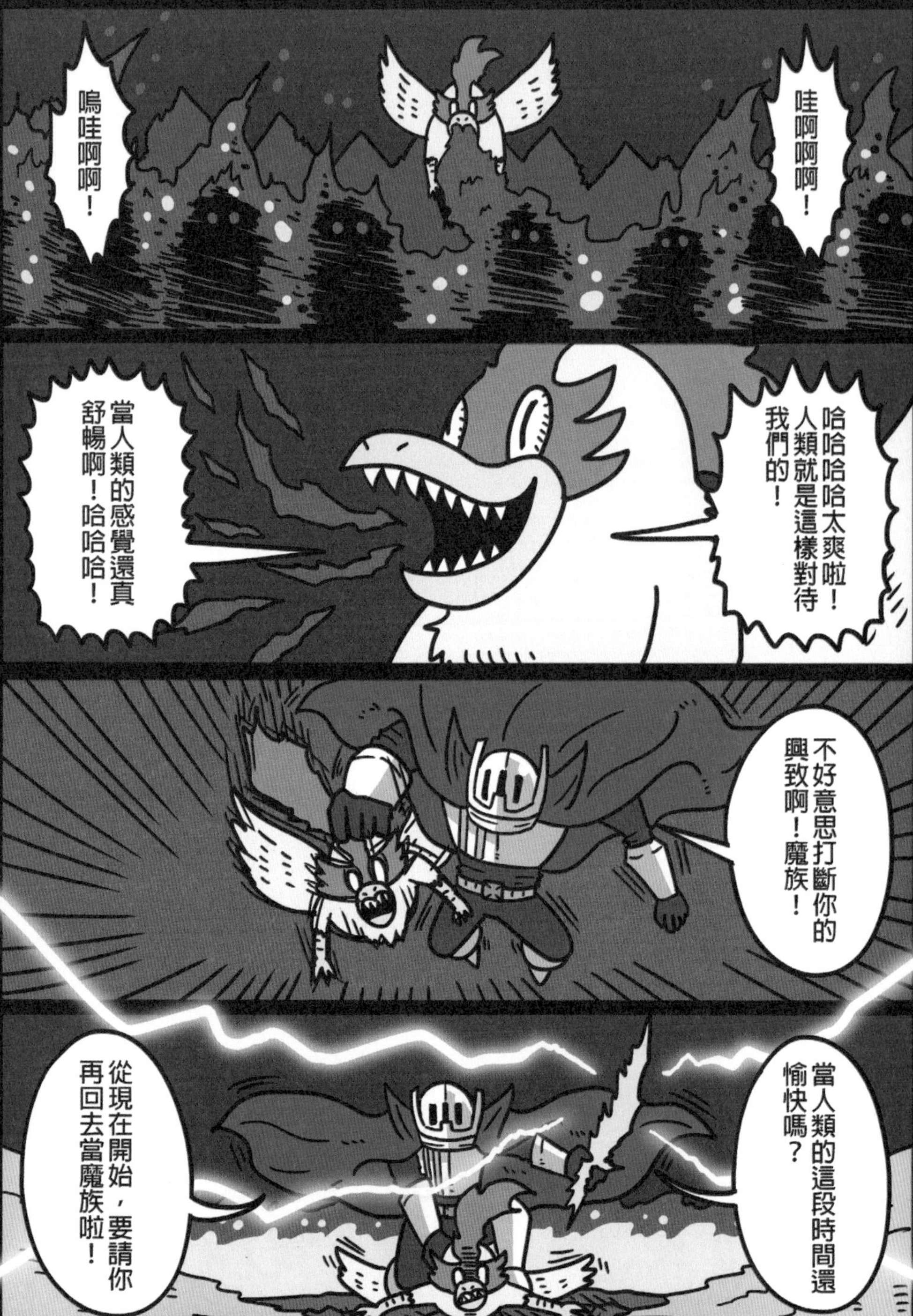
哇啊啊啊！
嗚哇啊啊！
哈哈哈哈太爽啦！人類就是這樣對待我們的！
當人類的感覺還真舒暢啊！哈哈哈！
不好意思打斷你的興致啊！魔族！
當人類的這段時間還愉快嗎？
從現在開始，要請你再回去當魔族啦！

去死吧！人類！
哇啊啊啊啊啊！
嗚喔喔喔喔喔！
慈愛勇者！
老鷹不發威，當我是病雞！
別以為人類永遠都會獲得勝利！
你以為人類是因為強悍才獲勝的嗎？
錯！是因為你們卑鄙無恥！人類就只是比魔族更齷齪更下流而已啊！

等等，其實我們也是魔族啊。
是啊！我們何必要自相殘殺呢？
!?
咦？你們也是魔族？
有破綻。
你太大意了。
混、混帳啊！
你們果然是人類嘛！

奇怪，城裡怎麼沒有半個魔族？
他們都跑到哪裡去了？
炎、炎魔大人！您怎麼會在這裡？
這不重要，城裡的魔族都去哪裡了？
I FIRE U
墮落狂魔大人前往人類的城鎮後，大家就隨後跟上了！
墮落狂魔大人說要趁這次的進攻，將人類給完全擊潰！
大夥們應該已經快到人類的城鎮了。

惡夢勇者前輩！
我們前來支援您了！
喔喔！真是太好了！年輕的勇者們啊！
這個煙是什麼？
唔呃！是毒氣！
振作勇者！你在做什麼？這樣會毒到自己人啊！
自己人？
我從頭到尾都很清楚我的自己人是誰啊！
我現在不振作，要等到什麼時候振作呢？
!?

振作勇者！你竟然背叛我們！混帳！
明明身為魔族卻還懂得「背叛」嗎？
這都是向你們人類學習的啊！
不過，你果然還是把我當成魔族看待啊！
當然！在我眼裡，你永遠都是魔族！要不是上面的指示，我早就把你給殺了！
是嗎？那我們一起逛街一起吃蛋糕的回憶也都是假的嗎？
那倒是真的啦……那可都是些歡樂的時光呢！
唉，可惜那些回憶終究只是回憶啊！

真可惜，我們的友情就要這樣結束了嗎？
我、我跟你才不是朋友呢！你可是邪惡的魔族啊！病魔！
要說邪惡的話，人類可是完全贏過魔族的，你明明就知道啊！
別再自欺欺人啦！惡夢勇者！
囉嗦！人類就是正義！魔族就是邪惡！這樣子區分不是很簡單嗎？
我可是為了這個簡單的道理，奮鬥了一輩子啊！
是嗎……
看來我這次一定要好好的叫醒你了，朋友。

從我有意識開始，我的國家就不斷告訴我「魔族是邪惡的」。
而我也為了這個簡單的道理而努力奮鬥著，因為我是正義的。
我殘殺了無數的魔族，我成了魔族眼中的惡夢。
人們因此稱我為「惡夢勇者」，而我也以這個稱號為榮。
但是，我的老婆和女兒受不了我不斷殘殺魔族。
她們認為魔族的生命也跟人類一樣寶貴，於是她們離開了我。
儘管如此，我依舊認為我是正確的，沒錯，我不能有所迷惘。
要是迷惘的話，那我過去所努力的一切，到底又算什麼呢？

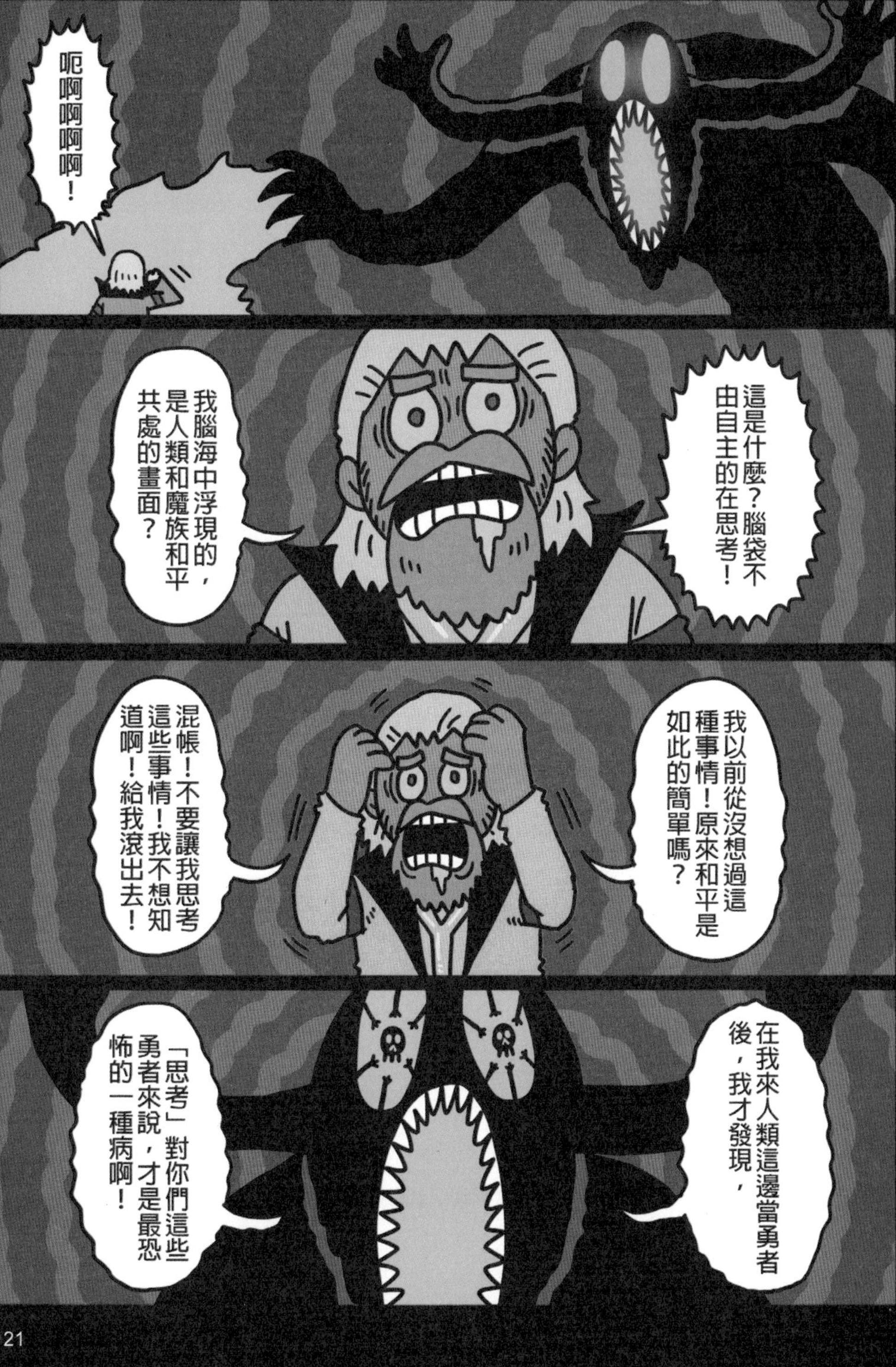
呃啊啊啊啊！
這是什麼？腦袋不由自主的在思考！
我腦海中浮現的，是人類和魔族和平共處的畫面？
我以前從沒想過這種事情！原來和平是如此的簡單嗎？
混帳！不要讓我思考這些事情！我不想知道啊！給我滾出去！
在我來人類這邊當勇者後，我才發現，
「思考」對你們這些勇者來說，才是最恐怖的一種病啊！

真謝謝你替我療傷啊！
別客氣，以後打獵可要小心點啊！
老公！你真是最棒的補師！我以你為榮！
爸爸最偉大了！我最喜歡爸爸了！
既然我擁有這種力量，我就要好好拿來幫助大家！
這樣的話，無論是人類還是魔族，一定都能獲得幸福的！
然而我卻選擇用這種力量來殘殺魔族！
我錯了嗎？老婆、女兒！我真的錯了嗎？

嗚哇啊啊啊啊！
「和諧刺殺」！
振作勇者，因為你背叛人類，所以我在此制裁你！
好好的人類不當，當什麼魔族嘛！
呃啊……
還沒死嗎？不愧是前魔族四天王，讓我給你個痛快吧！
站住。
我不准你對我的朋友出手。

惡夢勇者，你確定要與我為敵嗎？與我為敵就等於與這個國家為敵喔！
沒必要為了一個魔族做到這種地步啊！對吧？
KILLER
哇啊啊啊啊！
惡夢勇者！這就是你的選擇嗎？
真是心寒……
我可是國家的英雄呢，只是救了一個朋友就要變成國家的敵人嗎？
你病了啊！你中了病魔的招式了！
不要說得好像你們都沒病一樣！
呀啊啊啊啊！

我……我值得讓你這麼做嗎？
少囉嗦。
你可是我的朋友啊！
謝謝你讓我看到另一種可能性，我很喜歡那樣的世界。
不過，我都已經六十歲了，現在才懂得思考，來得及嗎？
當然來得及！不管你幾歲都來得及！
我很高興你能理解啊！我的朋友！
呀齁！跨越種族的友情嗎？真是讓人感動啊！
哈哈哈！又一個勇者要加入魔族了啊！

怎麼？你真的打算要加入魔族了嗎？
不，我並沒有那個打算，我認為我加入哪個陣營都不重要。
我想要追求那個在我腦海中的新世界，這並不是加入哪邊就能夠得到的。
朋友，請讓我跟你一起創造你腦海中的新世界吧！
那麼，我也不回去魔族了，我要和我的朋友一起去尋找新世界了！
病魔……隨便你！不要阻礙我就好！
好啦！現在又回到魔族和人類的戰爭啦！我們就繼續吧！
來吧！我可不會手下留情喔！魔族！

真不愧是魔將！果然值得一戰！
妳別說話啦！會害我分心！
你說得沒錯！
唔哇！好激烈的戰鬥啊，完全不知道該怎麼插手！
可惡……儘管穿著神裝，我還是沒那個膽量啊！
不行，必須找點事情做，我可是勇者啊！這樣太難看了！
嗯？那是什麼聲音？
吼喔喔喔喔！
嘎啊啊啊啊啊！
魔、魔族大軍？

哇啊啊啊！
媽媽！不要啊！
妳們快逃吧！
謝、謝謝你！
糟糕！這裡是住宅區，還有很多村民在這裡！
是魔族！
魔族啊！
完蛋了啊！
魔族！給我聽著！我是殺了你們許多同伴的滅火勇者！
我就站在這裡！有種就來跟我戰鬥吧！混帳們！

他就是那個滅火勇者嗎！那個殺了我們許多同伴的滅火勇者！
混帳！我的朋友也是被他殺掉的！
絕對饒不了他！
上啊！把滅火勇者解決掉！
為了同伴！
贖罪吧！滅火勇者！
很好，全部的魔族都來攻擊我了，村民們應該能好好避難吧！
……
唉，為了身後那群村民和家鄉的母親，我可要拚命活下去啊！
……

喂！你看！魔族大軍襲來了啊！
真不妙……
你說得沒錯！
滅火勇者啊！你那邊還可以嗎？
不可以也得要可以啊！
這邊就先交給我！你專心戰鬥吧！
即便我是個沒什麼膽量的人，但是靠著長期累積的經驗值和這身神裝，
我果然……還是有點厲害啊！
就是你！你殺了我的父親！他成了你身上的經驗值！
你這個沒血沒淚的混帳！我要替我的父親報仇！

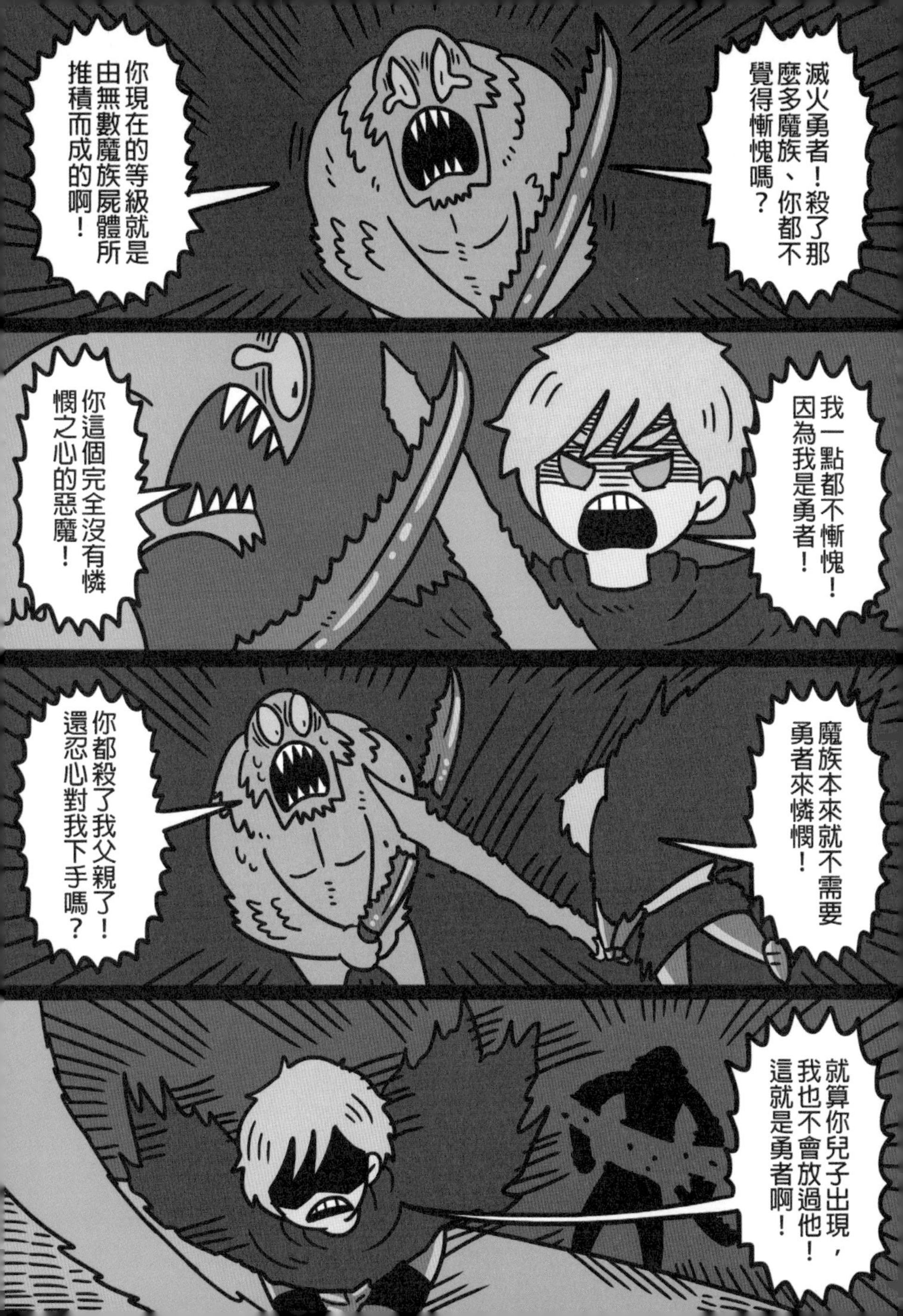
滅火勇者！殺了那麼多魔族、你都不覺得慚愧嗎？
你現在的等級就是由無數魔族屍體所推積而成的啊！
我一點都不慚愧！因為我是勇者！
你這個完全沒有憐憫之心的惡魔！
魔族本來就不需要勇者來憐憫！
你都殺了我父親了！還忍心對我下手嗎？
就算你兒子出現，我也不會放過他！這就是勇者啊！

可惡的滅火勇者！殺了那麼多我們的同伴就算了！竟然還不對我們手下留情！
對啊！我們可是受害者耶！連這種做人的道理都不明白嗎？
可惡！先撤退吧！
下次遇到我們的話、請記得要放水啊！
呼！總算是擺脫他們了……
謝謝您拯救了我們！英勇的勇者大人！
看您絲毫沒對他們手下留情的樣子，您一定也跟我們一樣痛恨那些卑鄙的魔族吧！
不，我一點都不恨他們，我只是在做我的工作罷了。
不要說得好像我很痛恨他們一樣。

好了，坐騎！我們該認真了！我要使出絕招囉！
好的，大小姐。
「全覆式本小姐」登場！坐騎！讓我完全的支配你吧！
好。
你說得沒錯！
瞧！讓本小姐來主宰不是輕鬆許多嗎？
你說得沒錯！

盜賊互助會 基地
首領！「公會城」那邊發生大事了！
墮落狂魔和大批的魔族軍隊入侵了！
請讓我們過去把那邊的情況「插播」到全國人民的映象水晶中吧！
想必除了我們，教團、魔法學院、鐵戰士一定也都會有所動作！
沒錯！魔族這次太狂妄了！我們「四大組織」應該要趁機團結起來，給魔族一個教訓！
首領！請您允許我們過去執行任務吧！
嗯，這次就交給你們吧。
可別像「和平城」那次一樣搞砸了。
是！

從前，有四名強悍的勇者聯手打倒了當時的魔王，在那之後，他們各自成立了自己的組織。
分別是「教團」、「鐵戰士」、「魔法學院」、「盜賊互助會」。
這「四大組織」一直以來都在協助國家。
他們和國家一樣，長期對抗著魔族，這次墮落狂魔的行為，讓他們不得不出手。
為了打倒墮落狂魔，他們各自開始行動。
「這全是為了人類」，他們懷著這樣的崇高的信念而奮鬥著。
而其中一個組織「魔法學院」的最高領導人—院長，同時也被稱為「絕望勇者」。
身為最強魔法師的她，此刻正開心的在對抗著墮落狂魔。

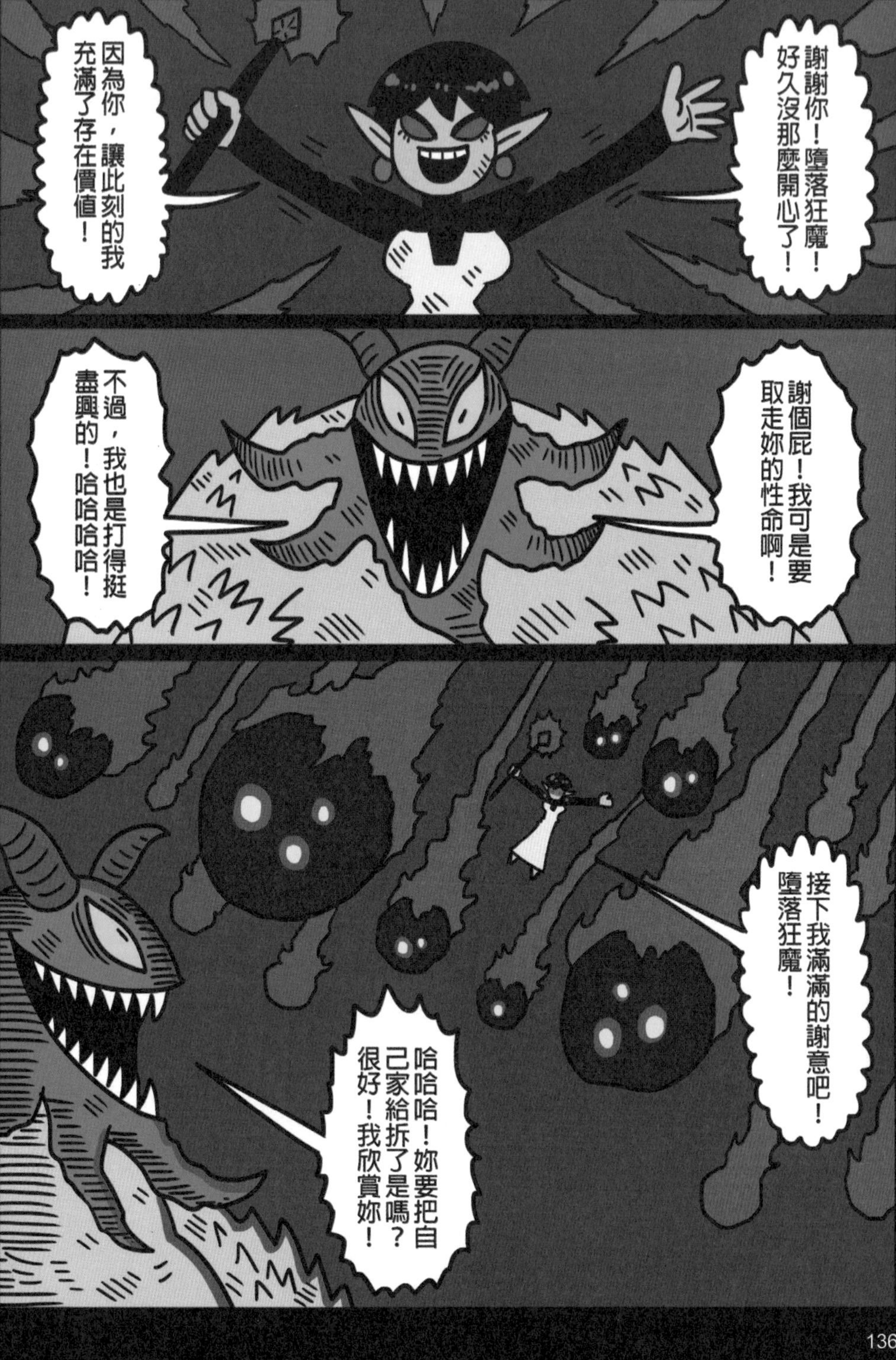
謝謝你！墮落狂魔！好久沒那麼開心了！
因為你，讓此刻的我充滿了存在價值！
謝個屁！我可是要取走妳的性命啊！
不過，我也是打得挺盡興的！哈哈哈哈！
接下我滿滿的謝意吧！墮落狂魔！
哈哈哈！妳要把自己家給拆了是嗎？很好！我欣賞妳！

絕望勇者小姐，妳這是玩太嗨了嗎？
城鎮要被妳給毀啦！唔哇……胃又開始痛了！
憐憫姊！快把那些隕石給打掉吧！
絕望勇者一點都不懂得克制呢。
會長，你想好要怎麼向市民道歉了嗎？
這不是道歉就能解決的事情啊！
此刻我只對自己的人生感到抱歉……

絶望勇者那個瘋婆娘！竟然在城市裡放隕石！
得要保護好這裡的居民才行啊！
勇者啊！妳們真的要保護市民嗎？
保護他們只會給妳們自己帶來破綻啊！
煩死了！你以為我想嗎？
我最討厭做這種沒錢領的事情啦！
但妳還是做了！真是值得尊敬啊！
唔啊啊啊！

魔龍妹妹，妳先別管隕石了！
但是不管的話，隕石會把這裡的房子全都砸爛的！
很好！繼續保護城市吧！為妳高尚的行為付出代價吧！
可惡！隕石也太多了吧！
!!
魔龍勇者！請妳繼續破壞隕石！妳的背後由我來守護！
拜託你了！滅火勇者！

唔哇……
喂！戰鬥中竟然還敢分心！
少看不起我了！
唔、唔哇……
絕望勇者真的很讓人絕望呢……
好險我家不在這個城市……
我們的打鬥根本只是兒戲啊！

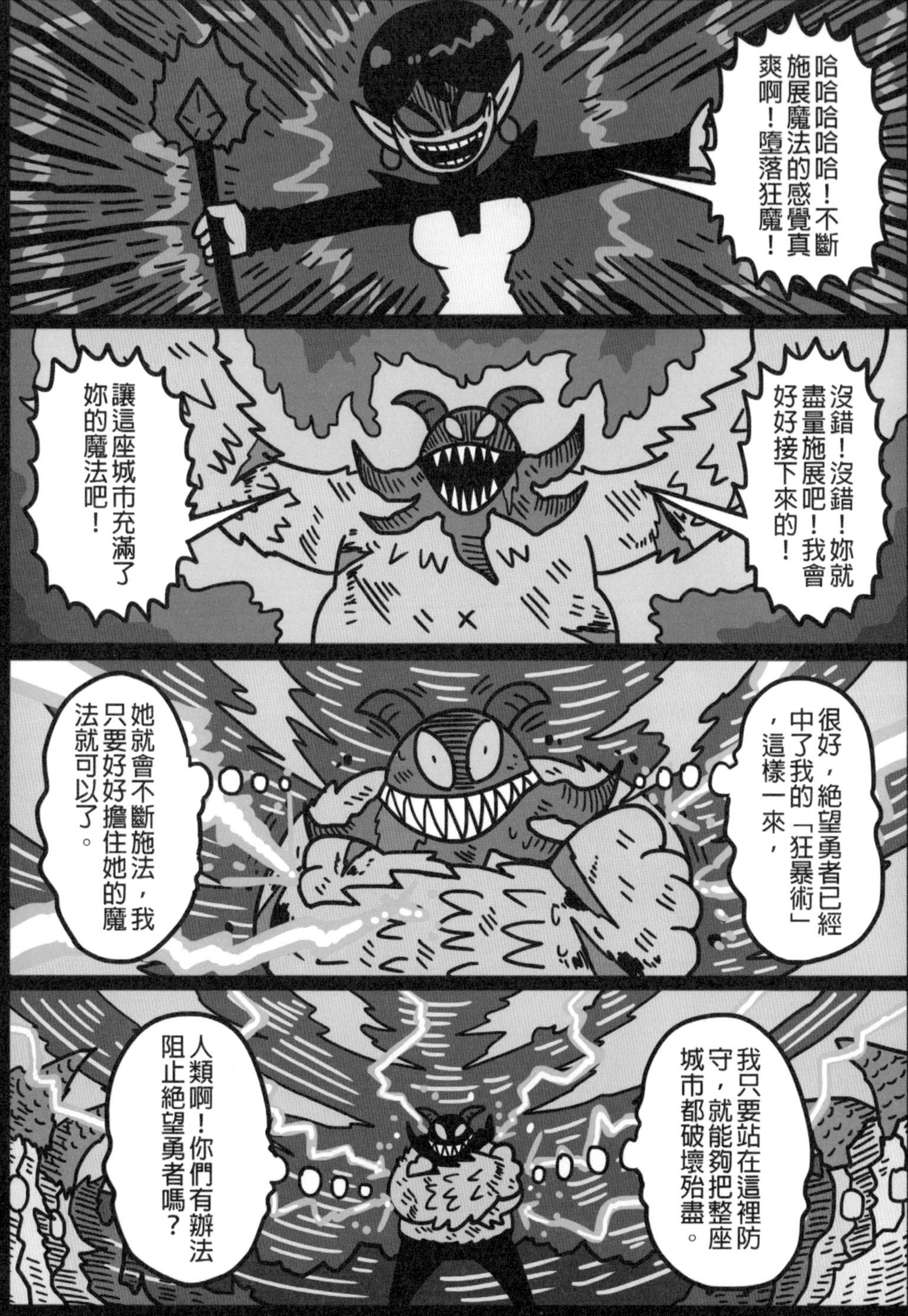
哈哈哈哈哈！不斷施展魔法的感覺真爽啊！墮落狂魔！
沒錯！沒錯！妳就盡量施展吧！我會好好接下來的！
讓這座城市充滿了妳的魔法吧！
很好，絕望勇者已經中了我的「狂暴術」，這樣一來，
她就會不斷施法，我只要好好擋住她的魔法就可以了。
我只要站在這裡防守，就能夠把整座城市都破壞殆盡。
人類啊！你們有辦法阻止絕望勇者嗎？

怎麼辦？要把現在的畫面轉播出去嗎？
當然不行啊！笨蛋！現在的畫面能看嗎？
現在純粹就是絕望勇者在破壞城市啊！
要是讓人民看到這種畫面可就不妙了！
你倒是想點辦法啊！勇者公會會長！
想辦法嗎……我正在想啊！
我正在想辦法辭掉這份工作呢……
想什麼辦法，這不是很簡單嗎？
只要解決掉墮落狂魔就結束了。

墮落狂魔！讓你看看最強聖騎士的厲害吧！
慈愛之槍槍槍槍啊啊啊啊啊啊！
絕望勇者！妳在搞什麼？
我可不允許你們來干擾我和墮落狂魔的對決。
怎麼？我看起來像是需要你們的幫忙嗎？少瞧不起我了！
是我們需要妳的幫忙啊……
看來我們得先阻止絕望勇者才行。

火焰熱狗啊，現在的情況怎麼樣了？我們贏了嗎？
你說得沒錯……
我已經快不行了，意識逐漸模糊了……咦？這是什麼感覺？
這股溫暖的火焰是什麼？我的傷口好像漸漸癒合了！
炎、炎魔大人?!
I FIRE U
你說得沒錯！
這座城市已經失去太多生命了，
我得要想辦法阻止才行！
I FIRE U

!
I FIRE U
炎魔大人，我可不會讓你過去阻止墮落狂魔大人。
以前都是人類在打壓我們！我們好不容易能夠走到這一步啊！
DL
我必須要見證我們勝利的那一刻才行！
我知道，我並沒有要阻止墮落狂魔。
I FIRE U
我要阻止的是絕望勇者，走吧，和我一起去打敗絕望勇者吧！
DL
幹嘛愣在那裡？
I FIRE U
快點走吧！

等等，雖然您想打敗勇者是件好事，
但是我們現在可以藉由絕望勇者的魔法間接破壞這座城市、打倒這邊的勇者啊！
絕望勇者的魔法不只破壞了這座城市，
前來支援的魔族們也都被攻擊了啊！
您真是變了啊！您以前根本就不在乎魔族同胞的死活吧？
為什麼偏偏要挑這種時候在乎呢？現在最重要的是勝利啊！
或許我是變了吧，變得開始在乎魔族的死活。
你們呢？你們變得開始不在乎了嗎？
DL
I FIRE U

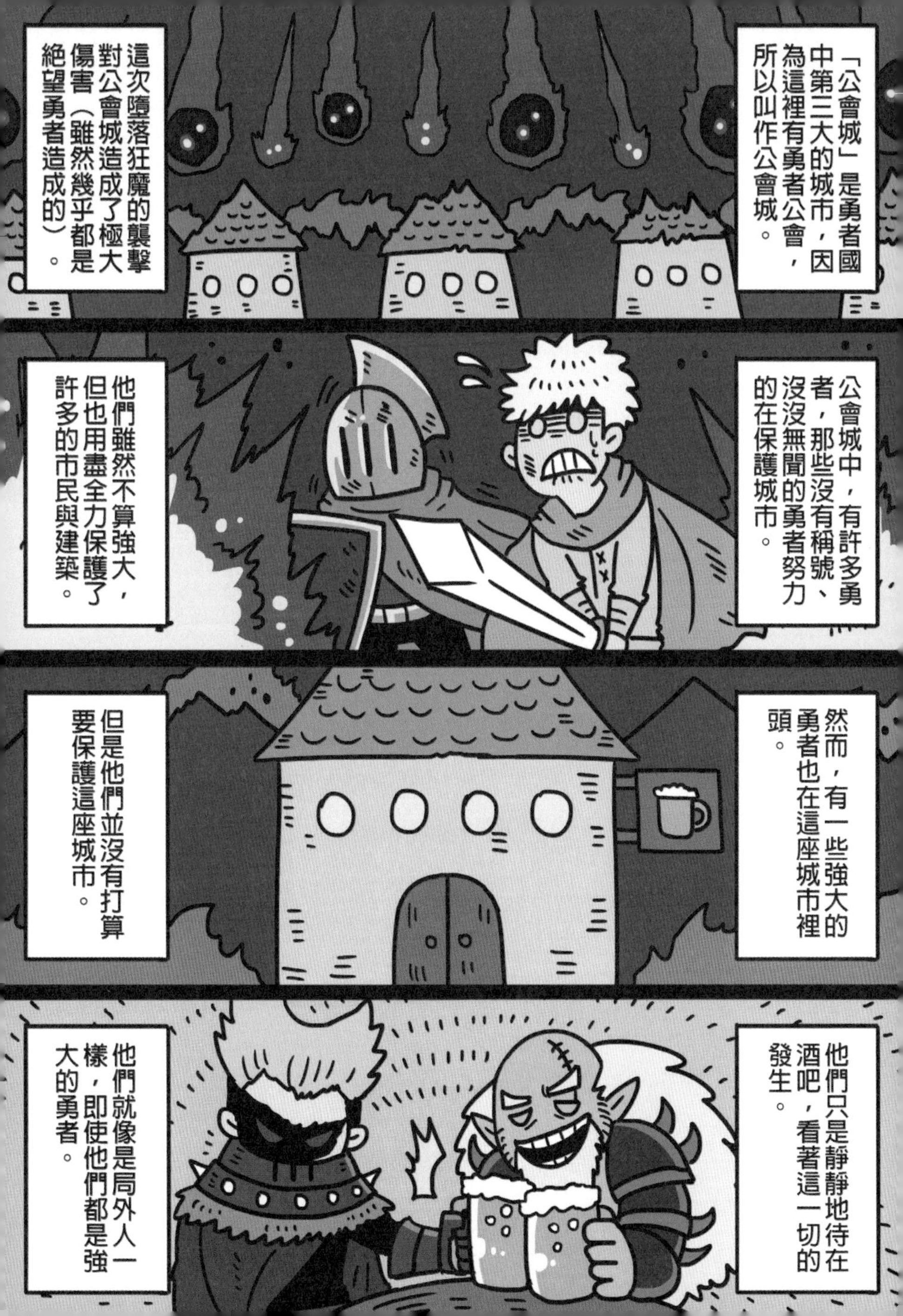
「公會城」是勇者國中第三大的城市，因為這裡有勇者公會，所以叫作公會城。
這次墮落狂魔的襲擊對公會城造成了極大傷害（雖然幾乎都是絕望勇者造成的）。
公會城中，有許多勇者，那些沒有稱號、沒沒無聞的勇者努力的在保護城市。
他們雖然不算強大，但也用盡全力保護了許多的市民與建築。
然而，有一些強大的勇者也在這座城市裡頭。
但是他們並沒有打算要保護這座城市。
他們只是靜靜地待在酒吧，看著這一切的發生。
他們就像是局外人一樣，即使他們都是強大的勇者。

我說破魔老哥啊！你也真壞心眼耶！明明只要你上場就能解決這件事了！
你不是能解除別人的魔法嗎？這樣絕望勇者就不會繼續破壞這座城市啦！
「鐵戰士」幹部&
最強的法師殺手
破魔勇者
不要，做這種麻煩事也沒錢可拿，你自己呢？身為最強盜賊卻窩在這裡喝酒。
「盜賊互助會」幹部&
最強的盜賊
自取勇者
我就算出場也做不了什麼事啊！難道你要我偷走絕望勇者的芳心嗎？
算了！等到勇者公會發任務給我們再說吧！
贊同。

別怕！我會把隕石給擋下來！
真是太感謝您了！請問勇者大人您的大名是？
嗯？
嗯……我只是個沒沒無聞的勇者罷了，
說來慚愧，我都已經四十幾歲了，卻還是個沒有得到「稱號」的勇者。
您一點都不用感到慚愧！
您救了我一命！您是個真正的勇者！
謝謝妳這麼說！
光聽到妳這句話，當勇者就值得了！

救命！這裡要被隕石砸到了！
哼。
魔、魔族？為什麼你要出手相助呢？
不管是魔族還是人類，村民都是無辜的！
我只是不想看到你們被隕石砸到而已。
我自己在家鄉也有家人，所以沒辦法對你們見死不救。
你們快離開這裡吧！這裡在短時間內都還會是個殘酷的戰場。
謝謝您！請讓我們叫您一聲勇者大人吧！
我才不要當勇者！我是魔族！魔族！

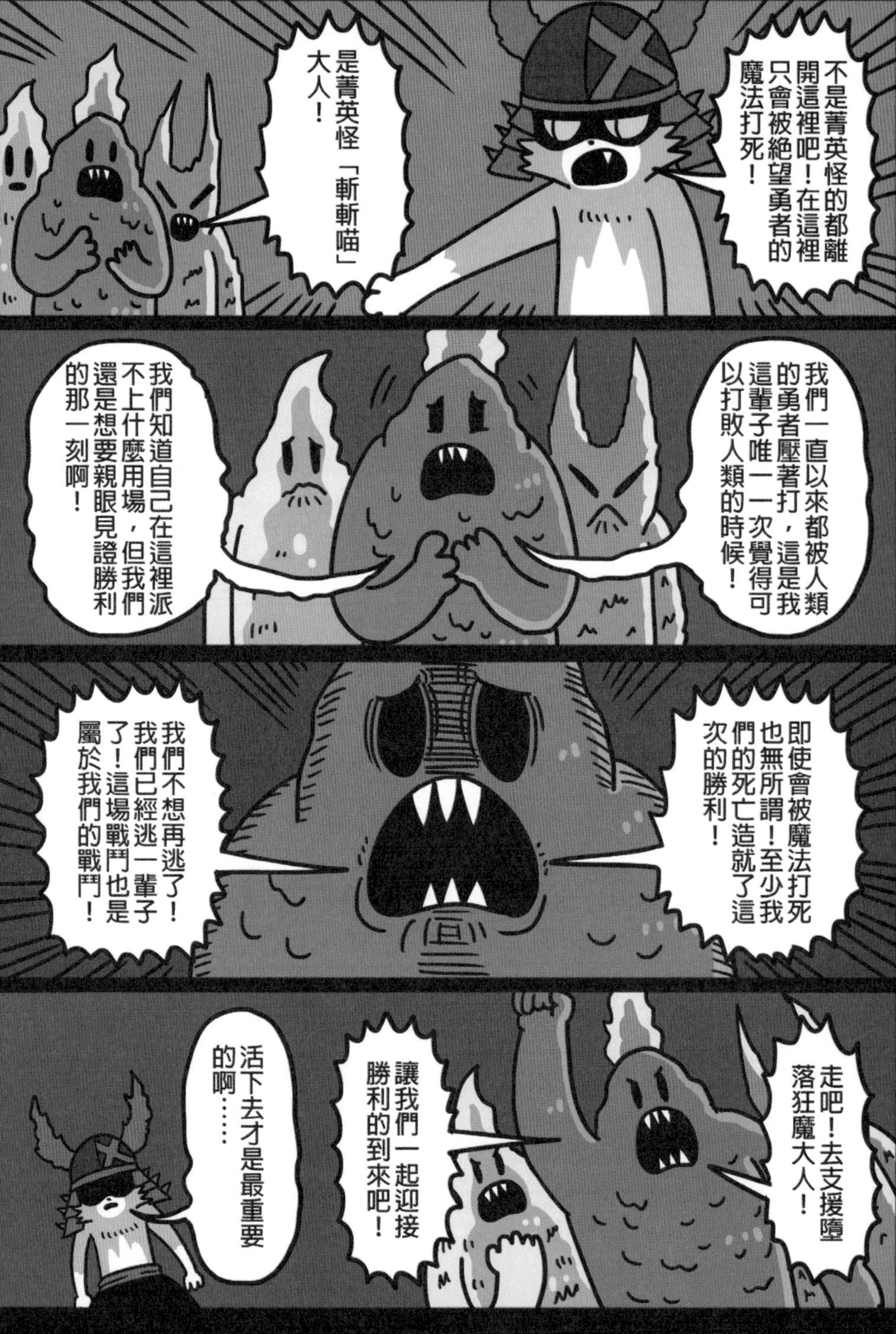
不是菁英怪的都離開這裡吧！在這裡只會被絕望勇者的魔法打死！
是菁英怪「斬斬喵」大人！
我們一直以來都被人類的勇者壓著打，這是我這輩子唯一一次覺得可以打敗人類的時候！
我們知道自己在這裡派不上什麼用場，但我們還是想要親眼見證勝利的那一刻啊！
即使會被魔法打死也無所謂！至少我們的死亡造就了這次的勝利！
我們不想再逃了！我們已經逃一輩子了！這場戰鬥也是屬於我們的戰鬥！
走吧！去支援墮落狂魔大人！
讓我們一起迎接勝利的到來吧！
活下去才是最重要的啊……

無論如何都不能讓我過去阻止絕望勇者嗎？
沒錯！我不能讓您過去攪局！
炎魔大人！要過去就先殺了我們吧！
我們不想讓您去阻止絕望勇者！
請您這一次就放過我們吧！
讓絕望勇者毀掉這座城市吧！
這場戰爭是屬於我們的！不是您的！
我們好不容易要攻下這裡了啊！
炎魔大人！拜託您別再扯我們的後腿了！
嗯。
I FIREU

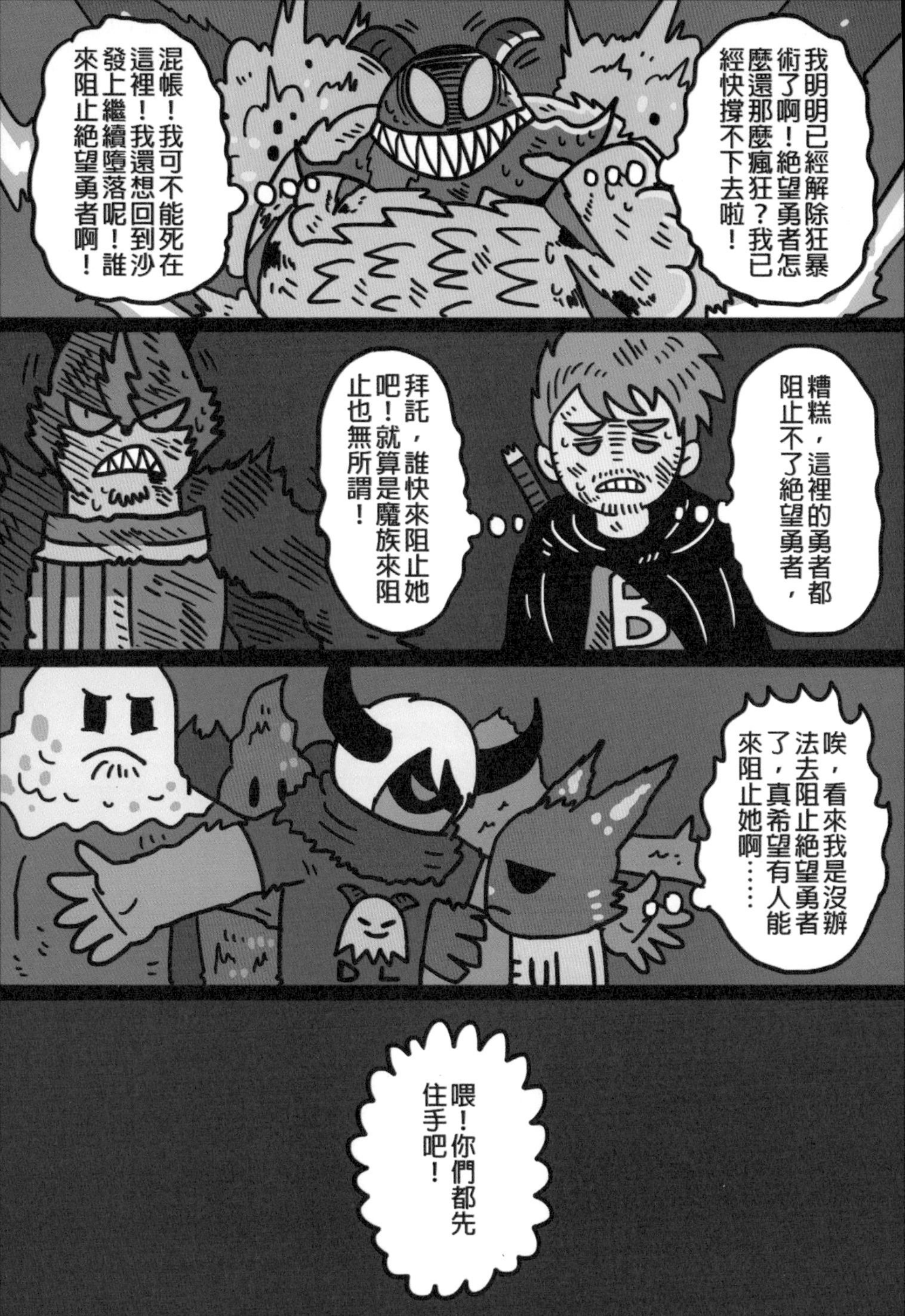

我明明已經解除狂暴術了啊！絕望勇者怎麼還那麼瘋狂？我已經快撐不下去啦！
混帳！我可不能死在這裡！我還想回到沙發上繼續墮落呢！誰來阻止絕望勇者啊！
糟糕，這裡的勇者都阻止不了絕望勇者，
拜託，誰快來阻止她吧！就算是魔族來阻止也無所謂！
唉，看來我是沒辦法去阻止絕望勇者了，真希望有人能來阻止她啊……
喂！你們都先住手吧！

把你們的戰鬥慾都降到最低吧！
唔！他們是……
喂！他們也都是相當麻煩的人物啊！
第三勢力「血汗聯盟」的慾望女王和達爾文！
DESIRE
公會城的各位！別害怕！我們來拯救你們囉！
沒錯！我們來賣人情給你們囉！

真的很謝謝你們！謝謝你們拯救了這座城市！
我永遠不會忘記你們的大恩大德！
會、會長！這樣子向他們下跪不太好吧！
唉，但是他們確實是拯救了這座城市啊。
勇者公會整個顏面掃地啊……
顏面掃地也無所謂！這座城市沒被毀掉才是最重要的！
好啦！別跪著了！勇者公會會長的膝蓋可是很珍貴的！
現在就給我發布消息到全國上下的映象水晶中！說是我們拯救了公會城！
不然我就把在場所有人的戰鬥慾提升到最高，知道嗎？

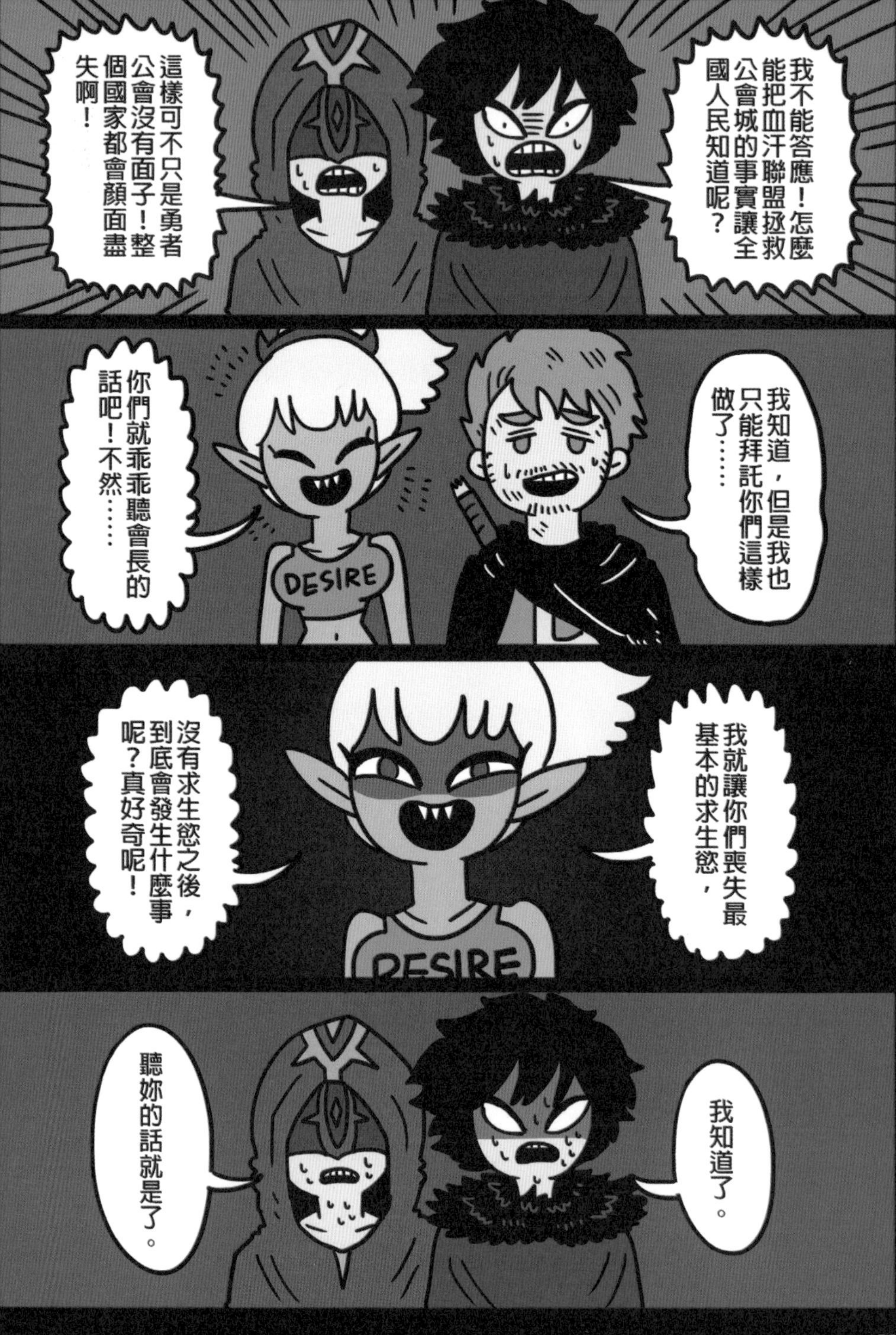
我不能答應！怎麼能把血汗聯盟拯救公會城的事實讓全國人民知道呢？
這樣可不只是勇者公會沒有面子！整個國家都會顏面盡失啊！
我知道，但是我也只能拜託你們這樣做了……
你們就乖乖聽會長的話吧！不然……
DESIRE
我就讓你們喪失最基本的求生慾，
沒有求生慾之後，到底會發生什麼事呢？真好奇呢！
我知道了。
聽妳的話就是了。

我在這邊要特別感謝血汗聯盟，因為他們的幫助，
公會城才沒有整個被墮落狂魔毀掉，謝謝你們！
不用客氣啦！能幫上勇者國的忙也是我的榮幸！
國與國之間本來就要互相幫忙嘛！
……
也辛苦你們這些勇者了！
畢竟有時候還是會遇到你們無法應付的敵人嘛！
這可真是……
丟臉丟到全世界了。

各位！趁現在快撤退吧！我們的目的已經達成了！
是的！墮落狂魔大人！
混帳！事到如今怎麼能讓他逃走！
可、可是我們完全沒有戰鬥慾啊！
慾望女王！把戰鬥慾還給我們吧！
才不要！這時候當然要多賣你們一點人情啦！墮落狂魔就由我來解決吧！
什麼？
DESIRE
呀！沒想到你會來攪局呢！
妳為了賣人情不惜做到這個地步嗎！
FIRE
DESIRE

墮落狂魔！快逃吧！我寶貝的部下們就交給你了！
謝謝你啦！炎魔！
FIREN
糟糕！墮落狂魔要從城門離開了！
還是讓他們逃掉了啊！可惡！
這些畫面都轉播到全國人民的映象水晶中了嗎？
嗯，今天是人類最恥辱的一天啊！
既然已經逃走了，那我也沒辦法囉！畢竟我也不想和你打嘛！炎魔！
DESIRE
妳啊……離開魔族後，比以前還要認真許多啊！雖然我也是啦。
FIRE

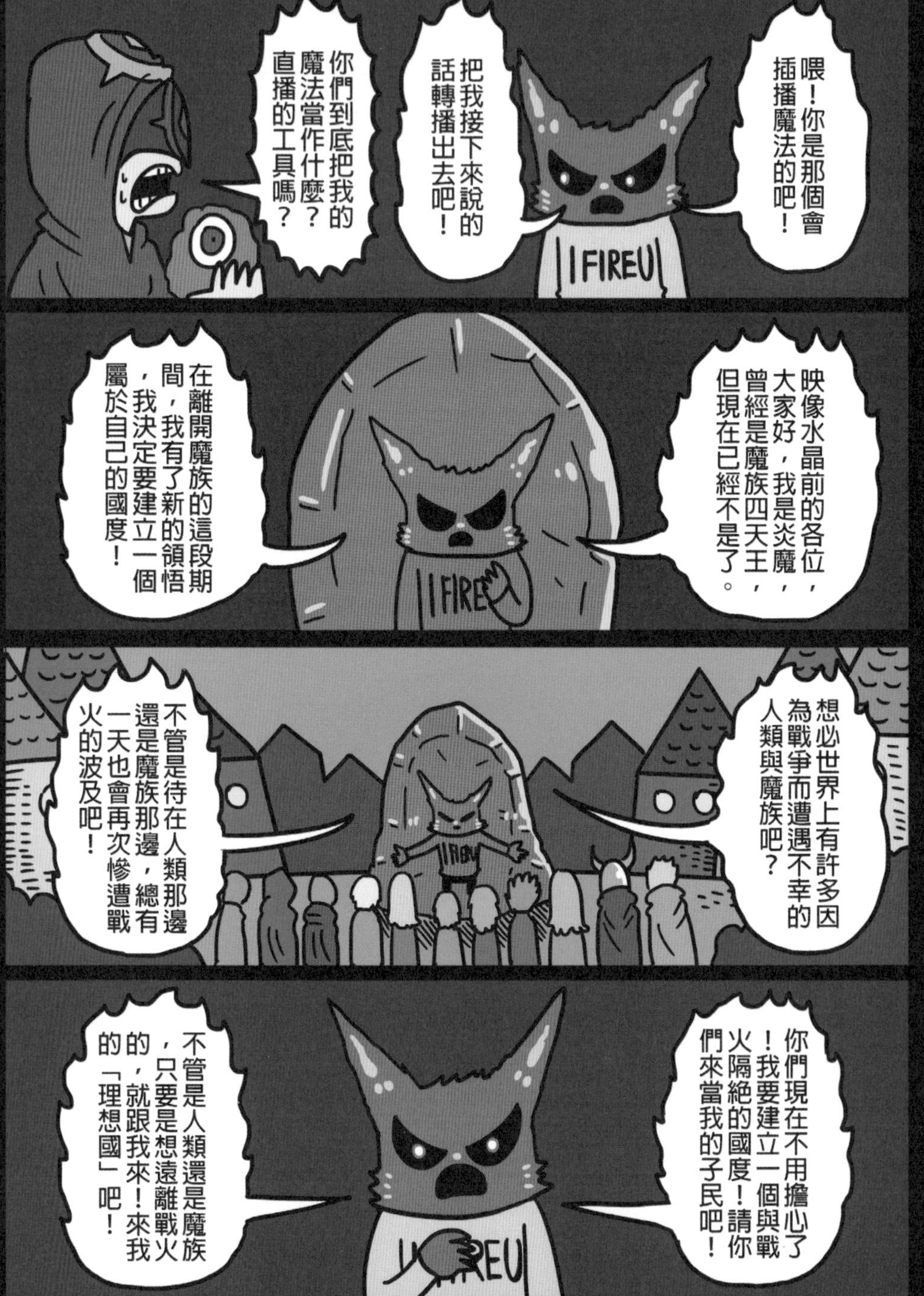
喂！你是那個會插播魔法的吧！
把我接下來說的話轉播出去吧！
你們到底把我的魔法當作什麼？直播的工具嗎？
I FIREU
映像水晶前的各位大家好，我是炎魔，曾經是魔族四天王，但現在已經不是了。
在離開魔族的這段期間，我有了新的領悟，我決定要建立一個屬於自己的國度！
想必世界上有許多因為戰爭而遭遇不幸的人類與魔族吧？
不管是待在人類那邊還是魔族那邊，總有一天也會再次慘遭戰火的波及吧！
你們現在不用擔心了！我要建立一個與戰火隔絕的國度！請你們來當我的子民吧！
不管是人類還是魔族，只要是想遠離戰火的，就跟我來！來我的「理想國」吧！

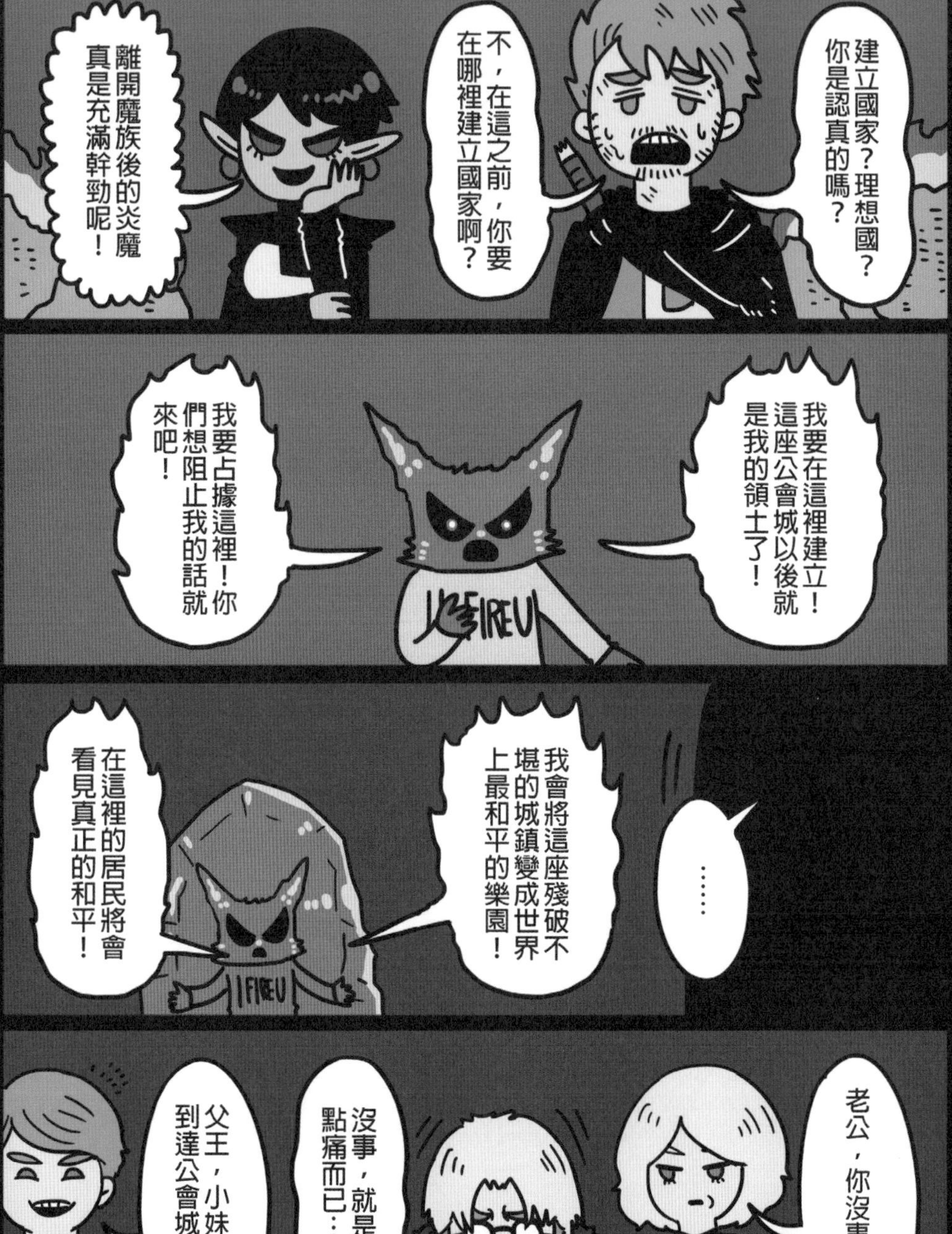

建立國家？理想國？你是認真的嗎？
不，在這之前，你要在哪裡建立國家啊？
離開魔族後的炎魔真是充滿幹勁呢！
我要在這裡建立！這座公會城以後就是我的領土了！
我要占據這裡！你們想阻止我的話就來吧！
……
我會將這座殘破不堪的城鎮變成世界上最和平的樂園！
在這裡的居民將會看見真正的和平！
老公，你沒事吧？
沒事，就是頭有點痛而已……
父王，小妹已經到達公會城了！

很好！已經離開公會城了！就這樣一路逃回我們的領地吧！
這次可真是立了大功啊！哈哈哈哈！
墮落狂魔大人！前方有軍隊！
啊？
是勇者國的旗子！
是率領王宮軍團的「公主勇者」！
還有「地皮勇者」、「女子漢勇者」！
墮落狂魔，要是真的讓你們逃走，人類可就真的毫無面子可言了啊。
這裡是城外，不用擔心會傷到居民，我們可以放心出招了。

可惡……
可惡什麼呢，你已經成功的讓人類失去面子了啊，墮落狂魔。

還沒完呢！看我的狂暴術！進入狂暴狀態亂砍隊友吧！
！
狂暴術？對我這個整天都處於狂暴狀態的狂戰士放這招也太可愛了吧！
最強的狂戰士
女子漢勇者
哈，到了最後，竟然是遇到像妳這樣的勇者嗎……算了，仔細想想，
我這一生也算是沒有遺憾了……不！還有！我看不到報廢女妖下禮拜的演唱會！
你就抱著這個遺憾安心的長眠吧！
呃啊！

這次可真慘啊，會長先生。
公、公主殿下！咦？您有遇到墮落狂魔嗎？
有，墮落狂魔和他的軍隊全都被我們解決掉了。
明明這裡有那麼多「最強稱號」的勇者，怎麼會搞成這樣呢？
墮落狂魔死了嗎？我還是沒有救到他嗎？真是可憐……嗚嗚！
妳來這裡是要阻止我建立「理想國」的嗎？
不，父王相當贊同你的做法，他說：「既然炎魔想建立國家就讓他建吧！」
「到時候炎魔就會知道，國家裡除了好人以外，更多的是讓國家敗壞的惡人啊！」

抱歉勇者，國王下令要我將你逮捕，並且要請你卸下勇者公會會長的職位。
要麻煩你待在監獄裡一陣子了，在這邊先跟你說聲辛苦了。
嗯，這個責任必須要有人出來扛才行啊。
但是，將公會城破壞成這樣的是我耶！為什麼只逮捕他？
抱歉勇者本來就是勇者公會的負責人。
而且，公會城是被墮落狂魔破壞的，跟妳「一點關係」都沒有，明白嗎？
好吧，我明白了。
對你還真不好意思呢！抱歉勇者！真抱歉啊！
別這樣說，對我來說，在監獄裡還比較輕鬆呢！哈哈哈哈哈！

那麼，慾望女王，血汗聯盟那邊這次有什麼「要求」嗎？
唉唷！幹嘛說得那麼嚴肅！
我只是想要和你們有更進一步的交流嘛！
我們想用巨人族的建築技術和你們交換糧食！
妳看，這次的戰爭讓公會城的房子都毀了，你們的建築技術很明顯需要再加強啊！
DESIRE
用技術交換資源嗎？我回去會好好跟父王討論的。
總之，勇者國這次很感謝你們的幫助，希望今後也能和你們維持良好的關係。
當然！不過妳看起來沒什麼慾望呢！妳需要我的幫助嗎？公主大人！
不需要，妳管好妳自己的慾望就好。

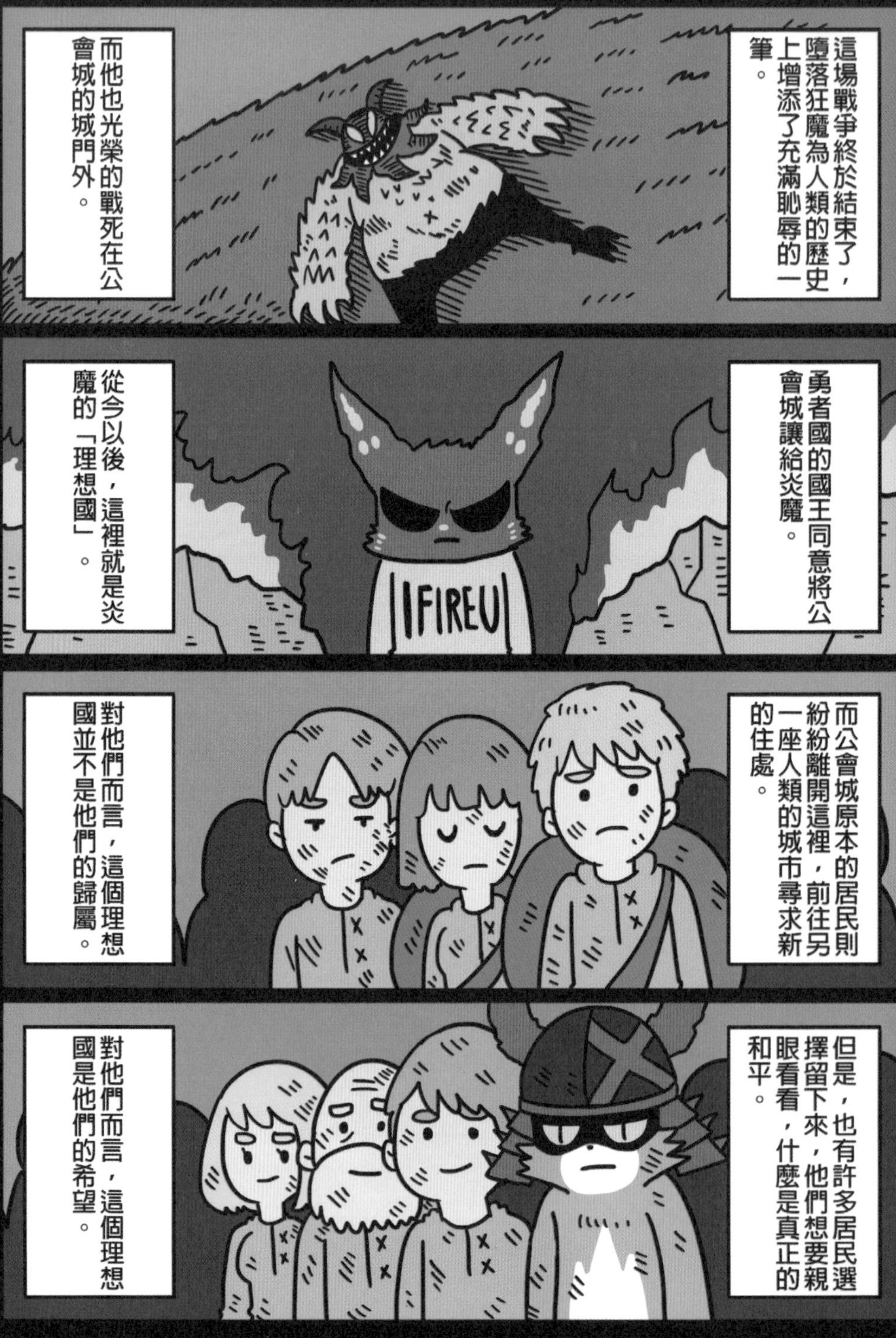
這場戰爭終於結束了，墮落狂魔為人類的歷史上增添了充滿恥辱的一筆。
而他也光榮的戰死在公會城的城門外。
勇者國的國王同意將公會城讓給炎魔。
從今以後，這裡就是炎魔的「理想國」。
FIRE
而公會城原本的居民則紛紛離開這裡，前往另一座人類的城市尋求新的住處。
對他們而言，這個理想國並不是他們的歸屬。
但是，也有許多居民選擇留下來，他們想要親眼看看，什麼是真正的和平。
對他們而言，這個理想國是他們的希望。

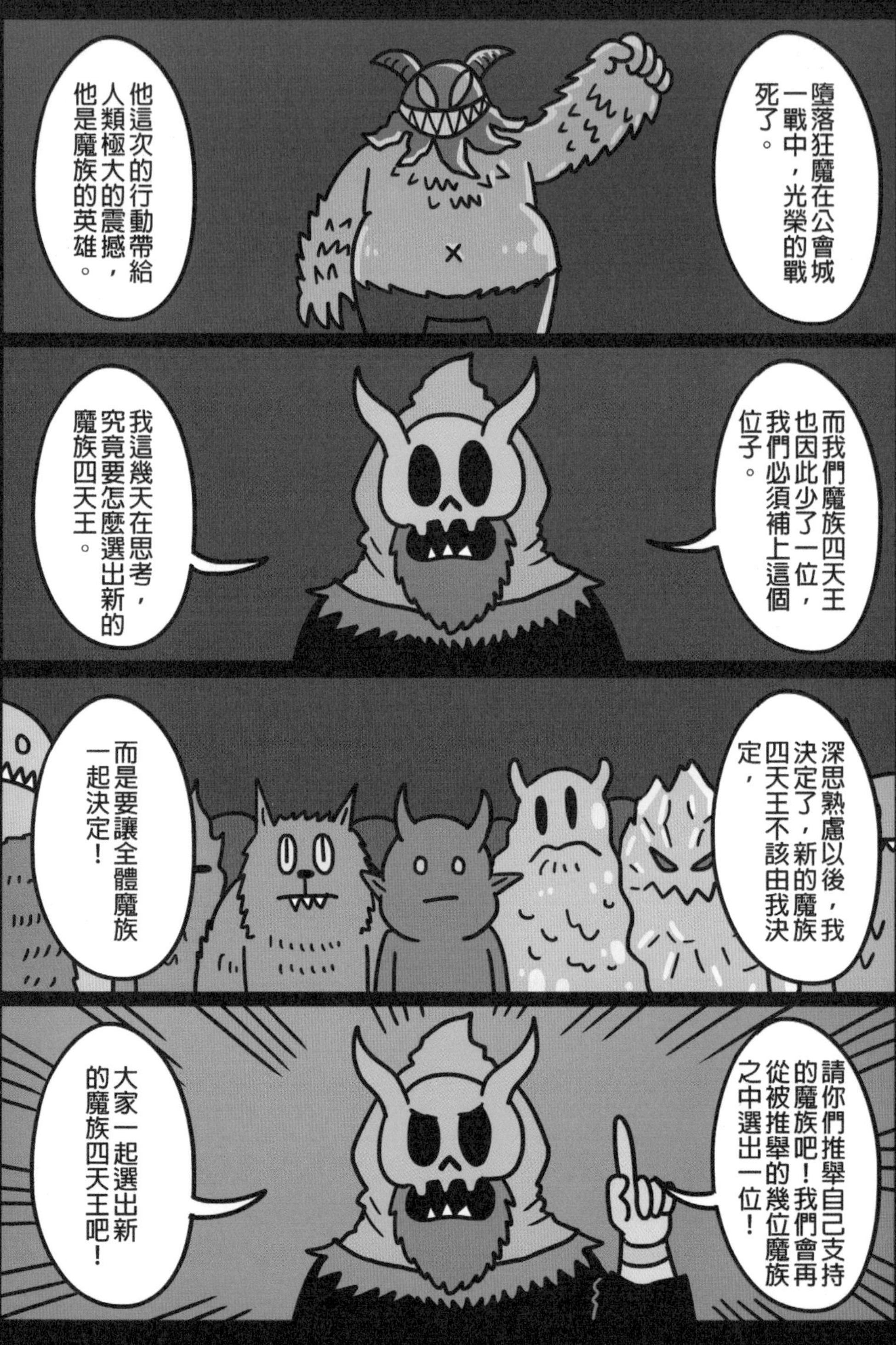
墮落狂魔在公會城一戰中，光榮的戰死了。
他這次的行動帶給人類極大的震撼，他是魔族的英雄。
而我們魔族四天王也因此少了一位，我們必須補上這個位子。
我這幾天在思考，究竟要怎麼選出新的魔族四天王。
深思熟慮以後，我決定了，新的魔族四天王不該由我決定，
而是要讓全體魔族一起決定！
請你們推舉自己支持的魔族吧！我們會再從被推舉的幾位魔族之中選出一位！
大家一起選出新的魔族四天王吧！

第三集（完）

番外篇

魔族檔案

一般居住在魔族村莊的魔族村民

墓地和地下洞穴會出現的召喚不死屬性魔族

召喚不死屬性魔族的召喚士魔族

森林中的野獸魔族

火山地區的魔族

海洋地區的魔族

沙漠地區的魔族

寒冷地區的魔族

沼澤地區的魔族

城堡廢墟的魔族

勇者系列／第三集．墮落狂魔與炎魔／黃色書刊 著 . -- 初版 . – 臺北市：時報文化， 2022.10；面 ；14.8╳21 公分 . -- （Fun：090）

ISBN 978-626-335-824-9（平裝）

Fun 090

勇者系列／第三集．墮落狂魔與炎魔

作者　黃色書刊｜主編　尹蘊雯｜ 執行企畫　吳美瑤｜ 美術協力　FE 設計｜ 編輯總監　蘇清霖 ｜ 董事長　趙政岷 ｜ 出版者　時報文化出版企業股份有限公司　108019 台北市和平西路三段 240 號 3 樓　發行專線—(02)2306-6842　讀者服務專線—0800-231-705．(02)2304-7103　讀者服務傳真—(02)2304-6858　郵撥—19344724 時報文化出版公司　信箱—10899 臺北華江橋郵局 99 信箱　時報悅讀網—www.readingtimes.com.tw　電子郵件信箱—newlife@readingtimes.com.tw　時報出版愛讀者—www.facebook.com/readingtimes.2 ｜ 法律顧問　理律法律事務所　陳長文律師、李念祖律師 ｜印刷 和楹印刷有限公司 ｜ 初版一刷　2022 年 10 月 21 日 ｜ 定價 新台幣 330 元 ｜（缺頁或破損的書，請寄回更換）

時報文化出版公司成立於 1975 年，1999 年股票上櫃公開發行，2008 年脫離中時集團非屬旺中，以「尊重智慧與創意的文化事業」為信念。

Im Fire
thank U